Themen neu

Lehrwerk für Deutsch als Fremdsprache

2

Glossar
Deutsch-Englisch

Glossary
German-English

bearbeitet von
Alan G. Jones

Max Hueber Verlag

4.	3.	2.		Die letzten Ziffern bezeichnen
1999	98	97	96 95	Zahl und Jahr des Druckes.

Alle Drucke dieser Auflage können, da unverändert, nebeneinander benutzt werden.
1. Auflage
© 1994 Max Hueber Verlag, D-85737 Ismaning
Umschlagfoto: Eric Bach, Superbild, München
Druck: Schoder Druck GmbH & Co. KG, 86368 Gersthofen
Printed in Germany
ISBN 3–19–051522–0

A few tips on how to learn German efficiently with "Themen neu"

1. General tips

a) In all learning, we make mistakes. This is true of language learning, too. People who are afraid of making mistakes, and therefore say less, will learn less than those who keep on talking in spite of their mistakes.

b) You will never learn to use a language just by studying the grammar rules: practice in speaking, listening, reading and writing is essential.

c) Work regularly at home, because class time is usually not enough. The *Arbeitsbuch* and this *Glossar* will help you with individual work.

d) Arrange regular times with a partner for learning German together.

2. Vocabulary

a) Learn words in context rather than by themselves. For every word you want to learn, make up one or two example sentences.

b) Write out from each *Lektion* the words which you have learnt previously but have forgotten. Look them up in the alphabetical index and go back to the place where they first occurred. Then make up sentences containing these words.

c) Write out at least 10-20 sentences from the *Kursbuch*, leaving out one word in each sentence. Then fill in the missing word.

d) Make a card index. Fill in a card with each new word learnt, with the context but without the translation. Every two or three days, check which words you have forgotten, and put these cards into a separate box for special attention. Later, when you find you can remember the meaning of these words, return them to the main file.

3. Speaking

a) At home, make up variations on the basic dialogues and act them out with a partner.

b) Listen to the dialogues on the cassette sentence by sentence and repeat each one. Do this several times in succession.

4. Listening

a) Listen to as much German as you can, even if you do not understand everything. If you have the printed text available, you should listen without looking at it. Good opportunities for practice are offered in the additional listening programme *Hören Sie mal! 2* (3 cassettes and booklet Hueber No. 1500; booklet alone No. 1.1500).

b) Make notes on a listening comprehension passage, and then write out a summery of what it says.

5. Reading

a) Read as much German as you can. Collect German texts.

b) Make notes about the main points of a passage, then write out a summary of it.

c) Practise at home with a partner from your class. Ask and answer questions about the text.

6. Writing

Make notes and then write a letter in German to a real or imaginary person (for example: you want to invite someone for a meal; you want to tell a friend what you did last week; you want to send greetings from holiday …). You could ask your teacher to correct your work.

Lektion 1

hübsch *pretty*
häßlich *ugly*
fröhlich *happy*
traurig *sad*
die Bluse, -n *blouse*
das Hemd, -en *shirt*
die Hose, -n *trousers*
der Rock, ¨e *skirt*
der Hut, ¨e *hat*
der Strumpf, ¨e *stocking*
blond *blonde*
schwarzhaarig *black-haired*

Seite 8

jung *young*
langhaarig *long-haired*
intelligent *intelligent*
attraktiv *attractive*
dumm *stupid*
freundlich *friendly*
gemütlich *good natured*
komisch *strange*
sympathisch *pleasant*
unsympathisch *disagreeable*

Seite 9

Die Personen stellen sich vor. *People
  introduce themselves.*
sich vorstellen *to introduce oneself*
Ergänzen Sie die fehlenden
  Informationen. *Supply the missing
  information.*
ergänzen *to complete*
der Clown, -s *clown*
der Koch, ¨e *cook*

der Pfarrer, - *parson*
das Fotomodell, -e *photographic model*
die Psychologin, -nen *psychologist*
Wer ist mit wem verheiratet? *Who is
  married to whom?*
Haben Sie ein gutes Gedächtnis? *Do you
  have a good memory?*
das Gedächtnis *memory*
eine Minute lang *for a minute*
Lesen Sie dann auf der nächsten Seite
  weiter. *Read on to the next page.*
weiterlesen *to read on*

Seite 10

rund *round*
oval *oval*
braun *brown*
das Familienbild, -er *family picture*
Den langen Hals hat er von der Mutter.
  He has his mother's long neck.
der Hals, ¨e *neck*
der Arm, -e *arm*

Seite 11

gelb *yellow*
Der neue Freund von Helga war Evas
  Ehemann. *Helga's new boy-friend
  was Eva's husband.*
der Ehemann, ¨er *husband*
Unterstreichen Sie die richtigen
  Adjektive. *Underline the correct
  adjectives.*
unterstreichen *to underline*
unsportlich *unathletic*
elegant *elegant*
sportlich *athletic*

Seite 12

der Spruch, ̈e *saying*
klug *clever*
Eine rothaarige Frau hat viel
Temperament. *A red-haired woman is very temperamental.*
rothaarig *red-haired*
das Temperament *temperament*
Ein schöner Mann ist selten treu. *A handsome man is seldom faithful.*
selten *seldom*
treu *faithful*
die Sorge, -n *problem*
Eine intelligente Frau hat Millionen Feinde. *An intelligent woman has millions of enemies.*
die Million, -en *million*
der Feind, -e *enemy*
Stille Wasser sind tief. *Still waters run deep.*
still *still*
das Wasser *water*
Ein bescheidener Mann macht selten Karriere. *A modest man seldom makes a good career.*
bescheiden *modest*
die Karriere, -n *career*
wahr *true*
der Unsinn *nonsense*
das Vorurteil, -e *prejudice*
Bei uns sagt man: ... *We say ...*
bei uns *in our country*

Seite 13

der Modetip, -s *fashion tip*
Leserinnen finden ihren Stil. *Readers find their own style.*
die Leserin, -nen *woman reader*
der Stil, -e *style*

vorher *before*
nachher *after*
der / die Postangestellte, -n (ein Postangestellter) *post office worker*
das Haar, -e *hair*
dezent *discreet*
Wir waren der Meinung: ... *We were of the opinon: ...*
die Meinung, -en *opinion*
Anke hat zuwenig Mut zur Farbe. *Anke is too cautious when it comes to colours.*
zuwenig *too little*
der Mut *courage*
konservativ *conservative*
Auch die langweilige Frisur steht ihr nicht. *Neither does the boring hair style suit her.*
die Frisur, -en *hair style*
stehen *to suit*
modisch *fashionable*
... dazu eine rote Strickjacke und ... *... also a red cardigan and ...*
dazu *in addition*
die Strickjacke, -n *cardigan*
Jetzt trägt sie keine Brille mehr. *Now she does not wear spectacles any more.*
mehr *more*
weich *soft*
die Kontaktlinse, -n *contact lense*
Durch die kurze Frisur und ein dezentes Make-up wirkt Ankes Gesicht jünger und freundlicher. *Short hair and discreet make-up make Anke's face look younger and friendlier.*
durch *through*
das Make-up, -s *make-up*
wirken *to appear*
dunkelblau *dark blue*
hellblau *light blue*

6

Seite 14

Er trägt einen schwarzen Anzug. *He is wearing a black suit.*

tragen *to wear*

der Anzug, ⁼e *suit*

die Krawatte, -n *tie*

Welche Kleidungsstücke passen zusammen? *Which articles of clothing go together?*

das Kleidungsstück, -e *article of clothing*

zusammenpassen *to go together*

im Winter *in winter*

der Winter *winter*

die Hochzeit, -en *wedding*

Seite 15

der Bruder, ⁼ *brother*

der Onkel, - *uncle*

der Dialog, -e *dialogue*

Markieren Sie die Personen in der Zeichnung. *Mark the people in the drawing.*

markieren *to mark*

Sie können folgende Sätze verwenden. *You can use the following sentences.*

folgende *following*

Seite 16

der Psycho-Test, -s *psychological test*

tolerant *tolerant*

der Park, -s *park*

das Liebespaar, -e *lovers*

Was denken Sie? *What do you think?*

denken *to think*

verrückt *mad*

wunderbar *wonderful*

die Liebe *love*

die Hausarbeit, -en *housework*

Manche Eltern können ihre Kinder nicht richtig erziehen. *Some parents cannot bring up their children properly.*

manche *some*

erziehen *to raise*

Dieser Mann ist der Englischlehrer Ihrer Tochter. *This man is your daughter's English teacher.*

der Englischlehrer, - *English teacher*

die Tochter, ⁼ *daughter*

Das ist jedenfalls gesünder als Autofahren. *At least it's healthier than driving a car.*

jedenfalls *in any case*

das Autofahren *driving a car*

In jedem Mann steckt ein Kind. *In every man there hides a child.*

stecken *to hide*

die Bushaltestelle, -n *bus stop*

Manche Leute haben zuviel Geld. *Some people have too much money.*

zuviel *too much*

Vielleicht ist die Frau privat ganz nett. *Perhaps she is quite nice socially.*

privat *socially* (also "private")

Es ist sehr laut. *It is very loud.*

laut *loud*

das Ergebnis, -se *result* ~~das Erlebnis = experience~~

ehrlich *honest*

pünktlich *punctual*

Sie kritisieren andere Menschen sehr oft. *You frequently criticise other people.*

kritisieren *to criticise*

angenehm *pleasant*

Viele Probleme sind Ihnen egal. *Many problems don't matter to you.*

egal *the same*

Sie sind ein offener und angenehmer Typ. *You are an open and pleasant type.*

offen *open*

der Typ, -en *type*

Seite 17

der Irokese, -n *Iroquois*
der / die Arbeitslose, -n (ein Arbeitsloser)
  unemployed person
das Arbeitsamt, ⁼er *employment office*
Den Beamten dort gefällt sein Aussehen
  nicht. *The staff there don't like the
  way he looks.*
das Aussehen *appearance*
das Badezimmer, - *bathroom*
Für eine Irokesenfrisur müssen die langen
  mittleren Haare stehen. *In an Iroquois
  hair-style the hair in the middle has to
  stand up.*
die Irokesenfrisur, -en *Iroquois hair style*
mittler- *middle*
Dafür braucht Heinz das Ei. *For this
  Heinz needs the egg.*
dafür *for this*
die Meinung, -en *opinion*
das Arbeitslosengeld *unemployment
  benefit, job-seeker's allowance*
das Stellenangebot, -e *job offer*
der / die Angestellte, -n (ein Angestellter)
  white collar worker
wiederkommen *to come back*
Herr Kuhlmann sabotiert die Stellensuche.
  *Mr Kuhlmann is sabotaging the job
  search.*
sabotieren *to sabotage*
die Stellensuche *job search*
Sein früherer Arbeitgeber war sehr
  zufrieden mit ihm. *His previous
  employer was very happy with him.*
früher- *previous*
der Arbeitgeber, - *employer*
der Arbeitskollege, -n *colleague*
Sie haben ihn immer geärgert. *They kept
  teasing him.*
ärgern *to tease*

die Stelle, -n *job*
Die meisten Jobs sind nichts für ihn.
  Most jobs are no good for him.
der Job, -s *job*
der Typ, -en *type*
der Punk, -s *punk*
Gegen das Arbeitsamt führt er jetzt einen
  Prozeß. *He is now taking the
  employment office to court.*
gegen *against*
führen *to conduct*
der Prozeß, Prozesse *legal case*
der Rechtsanwalt, ⁼e *lawyer*
ein paar Mark *a few marks*
ein paar *a few*

Seite 18

die Fernsehdiskussion, -en *television
  discussion*
recht haben *to be right*
Meinetwegen kann er so verrückt aussehen.
  For all I care he can look that crazy.
meinetwegen *for all I care*
Das ist mir egal. *It's all the same to me.*
egal *equal*
Dann darf er aber kein Geld vom
  Arbeitsamt verlangen. *But then he
  cannot claim money from the
  employment office.*
verlangen *to demand, to claim*
zahlen *to pay*
lügen *to lie*
Da bin ich anderer Meinung. *I take a
  different view.*
die Leistung, -en *performance*
kritisieren *to criticise*
Sonst bekommt er doch vom Arbeitsamt
  kein Geld. *Otherwise he will get no
  money from the employment office.*
sonst *otherwise*

Welches Argument spricht für Heinz?
Which argument speaks for Heinz?
das Argument, -e *argument*
für etwas / jemanden sprechen   *to speak*
  for something / somebody
in Wirklichkeit   *in reality*
Heinz muß seine Frisur ändern.   *Heinz*
  must change his hair style.
ändern   *to change*
Einverstanden!   *Agreed!*

Seite 20

die Wahrheit, -en   *truth*
schief   *crooked*
Ja, ja, gewiß …   *Yes, yes, certainly …*
krumm   *bandy*
deutlich   *clearly*
Entschuldige, aber als dein Freund darf ich
  dir doch mal die Wahrheit sagen, oder …?
  Forgive me, but as your friend I can tell
  you the truth from time to time, can't I …?
entschuldigen   *to excuse, forgive*
ehrlich gesagt   *in all honesty*
Die Wahrheit interessiert mich gar nicht
  so sehr.   *I'm not really so interested in*
  the truth.
interessieren   *to interest*
Offen gesagt, …   *To put it plainly, …*
Wir reden nicht mehr darüber.   *We won't*
  talk about it any more.
reden   *to talk*
darüber   *about it*
Deine schiefe Nase ist schließlich nicht
  deine Schuld.   *After all, your crooked*
  nose is not your fault.
schließlich   *after all*
die Schuld   *fault*
krummbeinig   *bandy-legged*

Lektion 2

Seite 21

die Stewardeß, Stewardessen   *stewardess*
der Zahnarzt, ⁻e   *dentist*
die Lehre, -n   *apprenticeship*
die Ausbildung, -en   *training*
die Note, -n   *mark*
das Zeugnis, -se   *report*

Seite 22

der Zoodirektor, -en   *zoo manager*
der Löwe, -n   *lion*
gefährlich   *dangerous*
der Politiker, -   *politician*
der Bundeskanzler, -   *Federal Chancellor*
die Sportlerin, -nen   *sportswoman*
die Klasse, -n   *class*
Später gewinne ich eine Goldmedaille.
  I shall go on to win a gold medal.
später   *later*
die Goldmedaille, -n   *gold medal*
der Nachtwächter, -   *night watchman*
die Dolmetscherin, -nen   *interpreter*
  (female)

Seite 23

Wer hat was geschrieben?   *Who wrote*
  what?
Ich will Fotomodell werden, weil ich dann
  viel Geld verdiene.   *I want to become*
  a photographic model, because then I
  will earn a lot of money.
die Ballerina, Ballerinen   *ballerina*
der Kapitän, -e   *captain*
der Cowboy, -s   *cowboy*
der Boxer, -   *boxer*
der Popsänger, -   *pop singer*

der Eisverkäufer, - *ice-cream seller*
der Astronaut, -en *astronaut*
der Rennfahrer, - *racing driver*

Seite 24

die Leser-Umfrage, -n *reader survey*
der Friseursalon, -s *hairdressing salon*
Aber dann habe ich eine Allergie gegen
Haarspray bekommen. *But then I*
became allergic to hair spray.
die Allergie, -n *allergy*
der *oder* das Haarspray, -s *hair spray*
Aber das macht mir keinen Spaß. *But I*
don't enjoy that.
der Spaß *fun*
selbständig *independent*
im Augenblick *at the moment*
der Augenblick, -e *moment*
der Bauernhof, ⸚e *farm*
der Landwirt, -e *farmer*
Das war mir schon immer klar, obwohl ich
eigentlich nie Lust dazu hatte. *That*
was always clear to me, although I
never really wanted to.
obwohl *although*
dazu *for that*
Mein jüngerer Bruder hat es besser.
My younger brother has a better time
of it.
jünger- *younger*
Der durfte seinen Beruf selbst bestimmen.
He could determine his own career.
bestimmen *to determine*
der Bürokaufmann, Bürokaufleute
executive
schmutzig *dirty*
anstrengend *tiring*
Jetzt arbeite ich als Taxifahrer. *Now I*
work as a taxi driver.
der Taxifahrer, - *taxi driver*

Wir haben praktisch kein Familienleben
mehr. *We have practically no family*
life any more.
das Familienleben *family life*
Deshalb bin ich nicht zufrieden, obwohl
ich ganz gut verdiene. *So I am not*
happy, although I earn quite well.
bekannt *well-known*
die Praxis, Praxen *practice*
toll *terrific*
Das macht mir sehr viel Spaß, obwohl es
an manchen Tagen auch anstrengend ist.
I enjoy it a lot, although some days it is
very tiring.
manch- *some*
Sie ist unzufrieden, weil sie nicht
selbständig arbeiten kann. *She is*
unhappy, because she cannot work
independently.
unzufrieden *unhappy*
Hexe ist ein Beruf mit Zukunft.
Witchcraft is a career with a future.
die Hexe, -n *witch*
die Zukunft *future*

Seite 25

Sie konnte nicht lange in diesem Beruf
arbeiten, weil sie eine Allergie
bekommen hat. *She could not work*
for long in this job, because she
developed an allergy.
dieser / diese / dieses *this*
wenig Arbeit haben *to have little work*
wenig *little*
die Arbeitszeit, -en *working hours*
Haben Ihre Freunde ihren Traumberuf?
Do your friends have their dream job?
der Traumberuf, -e *dream job*

die Hochschule, -n   *college*
die Fachhochschule, -n   *polytechnic*
die Fachschule, -n   *technical college*
das Abitur   *school leaving certificate*
das Fachgymnasium, Fachgymnasien
   specialist grammar school
die Fachoberschule, -n   *college of further
   education*
die Berufsschule, -n   *technical college,
   vocational school*
die Mittlere Reife   *16-plus certificate*
der Hauptschulabschluß, Hauptschul-
   abschlüsse   *school leaving certificate
   from secondary modern school*
das Gymnasium, Gymnasien   *grammar
   school*
das Schuljahr, -e   *school year*
die Gesamtschule, -n   *comprehensive*
die Realschule, -n   *secondary school*
die Hauptschule, -n   *secondary modern
   school*
die Grundschule, -n   *primary school*

staatlich   *state*
das Jahreszeugnis, -se   *annual report*
das Pflichtfach, ¨er   *compulsory subject*
das Wahlpflichtfach, ¨er   *elective subject*
die Religionslehre   *religion*
das Englisch   *English*
die Mathematik   *mathematics*
die Physik   *physics*
die Chemie   *chemistry*
die Erdkunde   *geography*
die Wirtschaftslehre   *economics*
die Rechtslehre   *law*
das Rechnungswesen   *accounting*
das Sozialwesen   *social studies*

die Kunsterziehung   *art*
das Werken   *craft*
Technisches Zeichnen   *technical drawing*
die Textilarbeit   *needlework*
die Hauswirtschaft   *home economics*
die Kurzschrift   *shorthand*
das Maschinenschreiben   *typing*
die Teilnahme   *participation*
der Wahlunterricht   *optional teaching*
befriedigend   *satisfactory*
ausreichend   *adequate*
der Schulleiter, -   *head teacher*
der Klassenleiter, -   *form teacher*
Städt. = städtisch   *municipal*
der Grundkurs, -e   *basic course*
die Endpunktzahl, -en   *final points score*
sprachlich-literarisch-künstlerisches
   Aufgabenfeld   *linguistic-literary-
   artistic domain*
sprachlich   *linguistic*
literarisch   *literary*
künstlerisch   *artistic*
das Aufgabenfeld, -er   *domain*
das Latein   *Latin*
gesellschaftswissenschaftlich   *sociological*
die Ethik   *ethics*
mathematisch   *mathematical*
naturwissenschaftlich   *scientific*
die Biologie   *biology*
der Leistungskurs, -e   *specialist course*
die Bemerkung, -en   *note*
die Kollegstufe, -n   *sixth form, college
   level*
der Betreuer, -   *tutor*
Korrigieren Sie die falschen Aussagen.
   Correct the false statements.
die Aussage, -n   *statement*
das Schulsystem, -e   *school system*
die Bundesrepublik   *Federal Republic*
dauern   *to last*
die Zeugnisnote, -n   *grade*

Wenn man studieren will, muß man das Abitur machen. *If you want to study, you must take your Abitur.*

wenn *if*

der Realschulabschluß, Realschulabschlüsse *secondary school leaving certificate*

Jedes Kind kann sich die Schule aussuchen. *Every child can choose its school.*

aussuchen *to choose*

Seite 28

der Realschüler, - *pupil at secondary school*

der Vorteil, -e *advantage*

der Nachteil, -e *disadvantage*

später *later*

noch mindestens vier Jahre kein Geld verdienen *to earn no money for at least another four years*

mindestens *at least*

der Text, -e *text*

die Schulzeit *schooldays*

der Schulabschluß, Schulabschlüsse *school leaving certificate*

der Akademiker, - *graduate*

das Rollenspiel, -e *role play*

das Abschlußzeugnis, -se *leaving certificate*

Seite 29

der Hochschulabsolvent *graduate*

... so schätzt das Arbeitsamt, ... *... the department of employment estimates ...*

schätzen *to estimate*

die Million, -en *million*

das Semester, - *semester*

die Germanistik *German (as a university subject)*

optimistisch *optimistic*

die Germanistikstudentin, -nen *student of German*

der Konkurrenzkampf, ⁻e *rat-race*

die Uni, -s *university*

beginnen *to begin*

die Wirtschaft *economics*

Auch an der Uni muß man kämpfen. *At university too you must fight.*

kämpfen *to fight*

die Zukunftsangst, ⁻e *fear of the future*

Ich schaffe es bestimmt. *I'm sure to do it.*

es schaffen *to manage it*

die Psychologie *psychology*

das Examen, - *exam*

die Bewerbung, -en *application*

negativ *negative*

die Berufserfahrung *work experience*

eigen- *own*

die Diplom-Psychologin, -nen *graduate psychologist*

anbieten *to offer*

Die Arbeit dort ist ganz interessant, aber mein Traumjob ist das nicht. *The work there is quite interesting, but it isn't my dream job.*

dort *there*

der Traumjob, -s *dream job*

wahrscheinlich *probably*

die Doktorarbeit, -en *thesis*

der Doktortitel, - *doctorate*

die Stellensuche *job-search*

Seite 30

der Automechaniker, - *car mechanic*

sicherer Arbeitsplatz *secure job*

sicher *secure*

der Arbeitsplatz, ⁻e *job*

die Lehrstelle, -n *apprenticeship place*

das Diplom, -e *degree*

Seite 31

die Rechnungsabteilung, -en *accounts department*

der Betrieb, -e *firm*

die Elektronikindustrie *electronics industry*

das Unternehmen, - *enterprise*

zusammenarbeiten *to work together*

das Gehalt, -̈er *salary*

das Urlaubsgeld *holiday pay*

die Betriebskantine, -n *works canteen*

ausgezeichnet *excellent*

die Karrierechance, -n *career prospect*

versprechen *to promise*

die 5-Tage-Woche, -n *5-day week*

ca. = circa *approximately*

dynamisch *dynamic*

die Persönlichkeit, -en *personality*

perfekt *perfect*

das Team, -s *team*

Probleme lösen *to solve problems*

Sie möchten in Ihrem Beruf vorwärts-kommen. *You want to get on in your career.*

vorwärtskommen *to get on*

der Geschäftskontakt, -e *business contact*

die Chefsekretärin, -nen *personal assistant (female)*

Sprachkenntnisse *(Plural)* *knowledge of foreign languages*

Sie bereiten Termine vor. *You will arrange appointments.*

der Termin, -e *appointment*

die Messe, -n *trade fair*

der Vertrag, -̈e *contract*

Mit einem Wort: ... *In a word, ...*

angenehm *pleasant*

die Arbeitsatmosphäre *working climate*

die Betriebsrente, -n *works pension*

die Kantine, -n *canteen*

der Tennisplatz, -̈e *tennis court*

& Co. = und Kompanie *& Co.*

der Automatenbau *vending machine manufacture*

das Möbelunternehmen, - *firm in the furniture business*

der Verkaufsdirektor, -en *sales director*

dringend *urgently*

mehrere *several*

sich bewerben *to apply*

KG = die Kommanditgesellschaft, -en *limited partnership*

das Postfach, -̈er *PO box*

Seite 32

die Personalabteilung, -en *personnel department*

Sehr geehrte Damen und Herren, ... *Dear Sirs, ...*

geehrte *respected*

die Dame, -n *lady*

Ich bewerbe mich hiermit um die Stelle als Chefsekretärin in Ihrer Firma. *I am writing to apply for the post of personal assistant in your firm.*

hiermit *herewith*

seit 1985 *since 1985*

die Aufgabe, -n *task*

Über eine baldige Antwort würde ich mich sehr freuen. *I would appreciate an early reply.*

baldig- *early*

der Lebenslauf, -̈e *curriculum vitae*

geb. = geborene *née*

das Dolmetscherinstitut, -e *school for interpreters*

das Sprachpraktikum, Sprachpraktika *language training placement*

Fa. = die Firma, Firmen *firm*

der Import *import*

13

der Export *export*
die Heirat *marriage*
der Exportkaufmann, Exportkaufleute
  export executive
die Abendschule, -n *evening class*
der Sekretärinnenkurs, -e *secretarial
  course*
die Abschlußprüfung, -en *final
  examination*
die Handelskammer, -n *Chamber of
  Commerce*
prüfen *to examine*
die Scheidung, -en *divorce*
jetzig- *current*
das Datum *date*
der Personalchef, -s *personnel manager*
das Sprachinstitut, -e *language school*
das Institut, -e *college*
zurückkommen *to return*

Seite 33

die Notiz, -en *note*
das Angebot, -e *offer*
die Busverbindung, -en *bus connection*
brutto *gross*
die Wunschliste, -n *list of requirements*
der Grund, -e *reason*
die Berufswahl *career selection*
Institut für Arbeitsmarkt- und Berufsforschung *Institute for Research on
  Employment and Careers*
der Arbeitsmarkt *labour market*
die Berufsforschung *career research*
die Umfrage, -n *survey*
Dabei haben von je 100 befragten
  Personen angegeben: … *In this, from
  every 100 people the response was: …*
dabei *in that*
je *every*
befragen *to ask*

angeben *to reply*
der Verdienst, -e *earnings*
die Sicherheit *security*
leicht *easy*
die Karriere, -n *career*
das Prestige *prestige*
die Karrierechance, -n *career opening*
Aber alles zusammen, das gibt es selten.
  But you seldom find them altogether.
selten *seldom*
der Arbeitsort, -e *place of work*
unwichtig *unimportant*
auf jeden Fall *in any case*
auf keinen Fall *not at all*
die Hauptsache, -n *main thing*

Seite 34

nun *now*
die Philosophie *philosophy*
die Juristerei *(abschätzig!)* *law
  (derogatory)*
die Medizin *medicine*
die Theologie *theology*
durchaus *through and through*
mit heißem Bemühn *with great endeavour*
heiß *hot*
Bemühn = das Bemühen *endeavour*
der Tor, -en *fool*
als wie zuvor *(unüblich!)* *as before
  (uncommon expression)*
zuvor *before*
der Hausbote, -n *office messenger*
das Semester, - *semester*
… und zwar Philosophie! *… in fact
  philosophy!*
zwar *in fact*
Kinderchen *(Plural; unüblich!)* *kiddies*
promovieren *to obtain a doctorate*
ungewöhnlich *unusual*
notwendig *necessary*

14

der Umweg, -e *roundabout way*
nachdenken *to think over*
Weil ich das Nachdenken leid war ...
Because I was tired of thinking it over ...
etwas leid sein *to be tired of something*
die Bewegung, -en *movement*
Ich muß jetzt endlich mal meine Beine
bewegen. *It's high time I get my legs
into motion.*
bewegen *to move*
Leider ist die Hausbotenstelle inzwischen
besetzt. *Unfortunately the post of office
messenger has already been taken.*
die Hausbotenstelle, -n *post of office
messenger*
inzwischen *meanwhile*
besetzt *occupied*
Doch heute wurde eine andere Stelle frei.
But today another post became free.
frei werden *to become free*
die Telefonzentrale, -n *telephone
switchboard*

Lektion 3

Seite 35

das Quiz *quiz*
die Nachricht, -en *news*
der Spielfilm, -e *film*
die Kindersendung, -en *children's
programme*
das Theaterstück, -e *play*
der Krimi, -s *thriller*
die Straßenkünstlerin, -nen *pavement
artist*
das Ballett *ballet*

Seite 36

ARD *German TV, lst Channel*
ZDF *Second German Television*
RTL *Luxemburg German Channel*
3 Sat *(name of satellite channel)*
gemeinsam *joint*
das Vormittagsprogramm, -e *morning
programme*
siehe *see*
das Wirtschaftstelegramm, -e *economic
telegram*
die Tagesschau *news*
der Zeichentrickfilm, -e *cartoon*
das Magazin, -e *magazine*
die Folge, -n *episode*
der Indianerhäuptling, -e *American
Indian Chief*
der Ratgeber, - *consumer programme*
das Regionalprogramm, -e *regional
programme*
die Werbung *advertising*
das Abenteuer, - *adventure*
der Bergsteiger, - *mountaineer*
politisch *political*
der Tatort, -e *scene of the crime*
der Kommissar, -e *commissioner*
die Wiederholung, -en *rerun*
das Meisterwerk, -e *masterpiece*
der Gott, ⁻er *god*
zuletzt *last*
die Presseschau *press review*
der Revolver, - *revolver*
die Kinder-Krimiserie *children's thriller
serial*
die Serie, -n *serial*
europäisch *European*
die Zirkusnummer, -n *circus act*
das Bundesland, ⁻er *federal state*
die Teleillustrierte *TV magazine*
der Gangster, - *gangster*

der Ganove, -n *crook*
die Reportage, -n *report*
das Bahnhofsviertel, - *station area*
der Würger, - *strangler*
das Schloß, Schlösser *castle*
Heute-Journal *extended news*
  programme
das Journal, -e *journal, diary*
schwierig *difficult*
die Talkshow *talkshow*
die Show, -s *show*
der Europapokal *European Cup*
die Liebe *love*
die Komödie, -n *comedy*
die Unterhaltung *entertainment*
riskant *risky*
die Spielshow, -s *game show*
der Showladen *display shop*
die Gewinnshow, -s *game show with*
  prizes
der Polizeibericht, -e *police report*
aktuell *current*
der Hammer, ⸚ *hammer*
wild *wild*
die Rose, -n *rose*
mexikanisch *Mexican*
das Wetter *weather*
imitieren *to imitate*
der Popstar, -s *pop star*
das Filmquiz *film quiz*
unglaublich *incredible*
explosiv *explosive*
der Anwalt, ⸚e *lawyer*
geschehen *to happen*
hellicht- *daylight*
der Kriminalfilm, -e *crime thriller*
Aerobics *(Plural)* *aerobics*
singen *to sing*
der Chor, ⸚e *choir*
das Orchester, - *orchestra*
die Vorschau, -en *preview*

der Tierarzt, ⸚e *vet*
die Landschaft, -en *scenery*
die Kultur, -en *culture*
das Studio, -s *studio*
der Geheimagent, -en *secret agent*
der Dokumentarfilm, -e *documentary*
  film
die Motorrad-WM *World Motor-cycling*
  Championship
ccm = Kubikzentimeter *cc*
das Leichtathletik-Meeting, -s *athletics*
  meeting
der Club, -s *club*

Seite 37

die Sendung, -en *programme*
das Fernsehprogramm, -e *television*
  programme
die Unterhaltung *entertainment*
die Politik *politics*
die Bildung *education*
der Wunsch, ⸚e *request, wish*
zusammenstellen *to put together*
die Gruppenarbeit, -en *group work*
das Ergebnis, -se *result*

Seite 38

passend *appropriate*
die Fortsetzung, -en *continuation*
amerikanisch *American*
Die Tanners haben ihre Katze verloren.
  The Tanners have lost their cat.
verlieren *to lose*
Ein Auto hat sie überfahren. *It was run*
  over by a car.
überfahren *to run over*
unglücklich *unhappy*
tot *dead*
die Tochter, ⸚ *daughter*

16

die Mordserie, -n   *series of murders*
beginnen   *to begin*
Alle Bewohner leben in großer Angst.
All the inhabitants live in fear.
der Bewohner, -   *inhabitant*
Auch Claire ist in höchster Gefahr.
Claire is also in great danger.
die Gefahr, -en   *danger*
ermorden   *to murder*
der Diamant, -en   *diamond*
der Stein, -e   *stone*
verstecken   *to hide*
die Familientragödie, -n   *family tragedy*
der Mörder, -   *murderer*
die Reporterin, -nen   *reporter (female)*
das Material, -ien   *material*
die Story, -s   *story*
Bald geraten beide in Lebensgefahr.
Soon both their lives are in danger.
geraten   *to get*
die Lebensgefahr   *mortal danger*
Kriminalfilm-Klassiker nach Friedrich
Dürrenmatt.   *Classic thriller based on*
a story by Friedrich Dürrenmatt.
der Klassiker, -   *classic*
nach   *based on*
der Landstreicher, -   *tramp*
die Leiche, -n   *corpse*
das Opfer, -   *victim*
der Kindesmord, -e   *child murder*
ehemalig-   *former*
der Pilot, -en   *pilot*
der Jumbo, -s   *jumbo*
steuern   *to fly*
Von einer Bodenstation bekommt er
Anweisungen über Sprechfunk.   *He*
gets instructions from ground control by
radio.
die Bodenstation, -en   *ground control*
die Anweisung, -en   *instruction*
der Sprechfunk   *radio*

die Parodie, -n   *parody*
servieren   *to serve*
das Fischgericht, -e   *fish meal*
die Crew, -s   *crew*
das Katzenbaby, -s   *kitten*
per Telefon   *by telephone*
Bekommt er wenigstens eins zum
Frühstück?   *Will he get at least one (of*
these) for breakfast?
wenigstens   *at least*
die Pistole, -n   *pistol*
Scheinbar ist der Fall klar: ...   *It seems to*
be a clear case: ...
scheinbar   *apparently*
erschießen   *to shoot*
Kommissar Matthäi will den Mörder
endlich fangen.   *Commissioner Matthäi*
wants to catch the murderer at last.
fangen   *to catch*
der Plan, ⁻e   *plan*
Die kleine Annemarie soll den Mörder in
eine Falle locken.   *Little Annemarie is*
to entice the murderer into a trap.
die Falle, -n   *trap*
locken   *to entice*

Seite 39

der Leserbrief, -e   *letter to the editor*
der Glückwunsch, ⁻e   *congratulations*
die Sendezeit, -en   *transmission time*
der Moderator, -en   *presenter*
langweilig   *boring*
ärgern   *to annoy*
aufregen   *to excite*
politisch   *political*
Wofür interessiert sich Kurt Förster?
What is Kurt Förster interested in?
wofür   *in what*
sich interessieren   *to be interested*
worüber   *about what*

17

worauf *about what*
sich ärgern *to get annoyed*
sich aufregen *to get worked up*
Nein, dafür interessiere ich mich nicht.
  No, I am not interested in that.
dafür *in that*
die Sportsendung, -en *sports programme*
Alle Angaben in Prozent *All figures are*
  percentages
die Angabe, -n *detail*
das Prozent, -e *percentage*
der Tierfilm, -e *film about animals*
der Western, - *western*
die Regionalsendung, -en *regional*
  programme
die Ratgebersendung, -en *consumer*
  programme
der Problemfilm, -e *film that makes you*
  think
die Wissenschaft, -en *science*
die Technik *technology*
die Kunst *art*
die Literatur *literature*
die Jugend *youth*

Seite 40

beliebt *popular*
das Lied, -er *song*
die Lebensfrage, -n *life's questions*
Sie haben ein persönliches Problem.
  They have a personal problem.
persönlich *personal*
einige *some*
der Anrufer, - *caller*
unglücklich *unhappy*
Machen Sie Ihren Mann zu Ihrem Fahrlehrer. *Get your husband to teach you*
  to drive.
der Fahrlehrer, - *driving instructor*
Bitten Sie ihn um Hilfe. *Ask him for help.*

bitten *to ask*
der Kasten, ⁻ *box*
nicht wirklich, nur gedacht *not really,*
  only considered
denken *to think*
raten *to advise*
einen Kompromiß suchen *to look for a*
  compromise
der Kompromiß, Kompromisse
  compromise
der Psychiater, - *psychiatrist*
eigen- *own*

Seite 41

der Liedtext *song text*
der Text, -e *text*
das Schäfchen, - *little sheep*
golden *gold*
der Mond, -e *moon*
der Baum, ⁻e *tree*
am Himmel droben *(unüblich!)* *up in the*
  sky (uncommon)
der Himmel *sky*
die Freude, -n *joy*
überhaupt nicht *not at all*
das Märchen, - *tale*
der Sinn *sense(s)*
dunkeln *to grow dark*
der Gipfel, - *mountain top*
funkeln *to sparkle*
der Abendsonnenschein *evening*
  sunshine
der Igel, - *hedgehog*
küssen *to kiss*
fein *nice*
behutsam *careful*
die Zehe, -n *toe*

Seite 42

benutzen *to use*
das Wörterverzeichnis, -se *vocabulary*
sich verlieben *to fall in love*
verlieren *to lose*
weit *far*
singen *to sing*
das Trinklied, -er *drinking song*
die Popmusik *pop music*
Die Gedanken sind frei. *Thoughts are free.*
der Gedanke, -n *thought*
erraten *to guess*
Sie fliegen vorbei wie nächtliche Schatten.
  They fly past like shadows in the night.
vorbeifliegen *to fly past*
nächtlich *at night*
der Schatten, - *shadow*
der Jäger, - *hunter*
erschießen *to shoot*
Es bleibt dabei, die Gedanken sind frei.
  When all is said, thoughts are free.
dabei *at that*

Seite 43

der Alltagstrott *daily routine*
der Musikant, -en *musician*
der Asphalt *asphalt, tarmac*
20jährig- *20-year-old*
die Straßenpantomimin, -nen *street mime artist (female)*
feucht *damp*
der Rathausmarkt *town hall market (place)*
der Zuschauer, - *onlooker*
Sie ... packt sofort ihre Sachen aus und beginnt ihre Vorstellung. *She ... unpacks her things and begins her performance.*
auspacken *to unpack*

beginnen *to begin*
die Vorstellung, -en *performance*
Sie zieht mit ihren Fingern einen imaginären Brief aus einem Umschlag.
  With her fingers she takes an imaginary letter from an envelope.
der Finger, - *finger*
imaginär *imaginary*
der Umschlag, ¨e *envelope*
Den Umschlag tut sie in einen Papierkorb.
  She puts the envelope into a waste paper basket.
der Papierkorb, ¨e *waste paper basket*
das Pantomimenspiel *mime*
Nur ein älterer Herr mit Bart regt sich auf.
  Only an old man with a beard gets annoyed.
älter- *older*
der Bart, ¨e *beard*
Früher hat Gabriela sich über solche Leute geärgert. *Gabriela used to get annoyed at such people.*
solch- *such*
Nach der Vorstellung sammelt sie mit ihrem Hut Geld. *After the performance she collects money in her hat.*
sammeln *to collect*
der Pfennig, -e *pfennig*
regelmäßig *regularly*
die Asphaltkunst *pavement art*
Ihre Kollegen machen Asphaltkunst gewöhnlich nur in ihrer Freizeit.
  Her colleagues usually only do pavement art in their free time.
gewöhnlich *usually*
die Asphaltkarriere, -n *pavement career*
Die günstigsten Plätze sind Fußgänger-zonen, Ladenpassagen und Einkaufs-zentren. *The best places are pedestrian zones, arcades and shopping centres.*

die Fußgängerzone, -n *pedestrian zone*
die Ladenpassage, -n *shopping arcade*
das Einkaufszentrum, Einkaufszentren
 shopping centre
der Einkauf, ⸚e *shopping*
Ich hol' sie ein bißchen aus dem
 Alltagstrott. *I briefly take them out of
 their daily routine.*
ein bißchen *a bit*
stehenbleiben *to stand still*
ausruhen *to rest*
der Alltag *everyday matters*
das Straßentheater *street theatre*
Die Geschäftsleute beschweren sich über
 die Straßenkünstler. *The shopkeepers
 complain about the street artists.*
Geschäftsleute *(Plural)* *shopkeepers*
sich beschweren *to complain*
die Straßenkunst *street art*
der Vagabund, -en *tramp*
der Nichtstuer, - *loafer*
selten *seldom*
Gabrielas Leben ist sehr unruhig.
 Gabriela's life is very restless.
unruhig *restless*
Manchmal habe ich richtig Angst, den
 Boden unter den Füßen zu verlieren.
 *Sometimes I am afraid of getting out of
 my depth.*

Seite 44

die Käsetheke *cheese counter*
Inh. = der Inhaber, - *owner*
Amt für öffentliche Ordnung *Public
 Order Office*
das Amt, ⸚er *office*
öffentlich *public*
die Ordnung *order*
Sehr geehrte Damen und Herren, …
 Dear Sirs, …

geehrt- *respected*
die Dame, -n *lady*
Käse-Spezialitäten-Geschäft *cheese
 speciality shop*
die Spezialität, -en *speciality*
Manchmal kann ich meine Kunden kaum
 verstehen. *Sometimes I can hardly
 understand my customers.*
kaum *hardly*
laut *loud*
der Sommer, - *summer*
Meine Frau und ich müssen uns von
 morgens bis abends die gleichen Lieder
 anhören. *My wife and I have to listen
 to the same songs from morning till
 night.*
sich anhören *to listen*
die Eingangstür, -en *entrance*
möglich *possible*
Außerdem stellen die Musiker sich genau
 vor den Eingang meines Ladens.
 *Moreover, the musicians position
 themselves right in front of the entrance
 to my shop.*
sich aufstellen *to position oneself*
der Musiker, - *musician*
der Eingang, ⸚e *entrance*
der Laden, ⸚ *shop*
Aber muß es ausgerechnet vor meinem
 Laden sein? *But does it have to be
 right outside my shop?*
ausgerechnet *of all things*
hundertmal *a hundred times*
Haben wir Geschäftsleute denn keine
 Rechte? *Don't we shopkeepers have
 any rights then?*
das Recht, -e *right*
die Musikgruppe, -n *music group*
elektronisch *electronic*
der Verstärker, - *amplifier*
der Lautsprecher, - *loudspeaker*

Man kann es nicht mehr aushalten!
We can't stand it any more!
aushalten *to put up with*
die Ladentür, -en *shop doorway*
Es nützt nichts. *It is useless.*
nützen *to be of use*
der Musikterror *music terror*
dringend *urgent*
die Straßenmusik *street music*

Seite 45

der Ärger *trouble*
die Reporterin, -nen *reporter*
der Passant, -en *passer-by*
der Konzertsaal, Konzertsäle *concert hall*
der Geschäftsverkehr *business*
Die Musik in den Kaufhäusern ist doch
  genauso laut. *The music in the
  department stores is just as loud.*
das Kaufhaus, ⁻er *department store*
genauso *equally*
Freitags und samstags ist es sowieso immer
  viel zu voll in der Fußgängerzone.
  *In any case, on Fridays and Saturdays
  the pedestrian zone is much too full.*
sowieso *in any case*
Was heißt hier überhaupt Straßen-
  musikanten? *What do you mean,
  street musicians?*
überhaupt *at all*
die Qualität *quality*
Als Geschäftsmann würde ich ... *If I
  were a shopkeeper, I would ...*
Geschäftsmann, Geschäftsleute
  shopkeeper

Seite 46

der Nichtmacher, - *the do-nothing*
tatsächlich *indeed*

wahrscheinlich *probably*
Ich weiß nämlich immer ziemlich genau,
  was ich *nicht* machen würde.
  *I always know fairly precisely what I do
  not want to do.*
nämlich *in fact (not usually translated
  in English)*
wovor *of what?*

Lektion 4

Seite 47

die Panne, -n *breakdown*
der Reifen, - *tyre*
der Autounfall, ⁻e *car accident*
der Kofferraum, ⁻e *boot (US: trunk)*
die Reparatur, -en *repair*
die Werkstatt, ⁻en *workshop*
die Tankstelle, -n *petrol station*
die Kasse, -n *cash desk*
Super *4-star / high octane*
Normal *2-star / low octane*
der Diesel *diesel*
der Motor, -en *motor*
die Fahrschule, -n *driving school*

Seite 48

der Mini, -s *mini*
der Kleinwagen, - *small car*
beliebt *popular*
Wir haben vier Modelle getestet: den
  neuen Fiat Uno und drei seiner stärksten
  Konkurrenten. *We tested four models:
  the new Fiat Uno and three of its
  strongest competitors.*
das Modell, -e *model*
testen *to test*

der Konkurrent, -en *competitor*
der Typ, -en *type*
incl. = inklusive *inclusive*
Mwst. = die Mehrwertsteuer *Value Added Tax*
die Motorleistung, -en *performance*
kw = das Kilowatt, - *kilowatt*
das PS = die Pferdestärke, -n *horse-power*
Höchstgeschw. = die Höchstgeschwindigkeit, -en *maximum speed*
der Verbrauch *consumption*
das Gewicht, -e *weight*
die Länge, -n *length*
die Versicherung, -en *insurance*
die Steuer, -n *tax*
Kosten *(Plural)* *costs*
das Superbenzin *4-star petrol*
das Normalbenzin *2-star petrol*
der Durchschnitt, -e *average*
schadstoffarm *with a low level of harmful substances*
durchschnittlich *average*
der Wertverlust, -e *depreciation*
... hat den höchsten Benzinverbrauch.
    ... has the highest petrol consumption.
der Benzinverbrauch *petrol consumption*
die Geschwindigkeit, -en *speed*

Seite 49

Er verbraucht mehr Benzin, als im Prospekt steht. *It uses more petrol than the brochure says.*
verbrauchen *to use*
der Prospekt, -e *brochure*
die Bremse, -n *brake*
das Fahrlicht, -er *headlight*
das Bremslicht, -er *brake light*
der Unfallwagen, - *tow truck, break down lorry*
der Scheibenwischer, - *windscreen wiper*

Seite 50

Ich kann es Ihnen nicht versprechen. Wir versuchen es. *I cannot promise. We shall try.*
versprechen *to promise*
versuchen *to try*
Vielen Dank! *Many thanks!*
Ich habe für heute einen Termin. *I have an appointment for today.*
der Termin, -e *appointment*
Die Fahrertür klemmt. *The driver's door sticks.*
die Fahrertür, -en *driver's door*
klemmen *to stick*
vorne *in front*
Die Werkstatt soll die Bremsen prüfen. *The garage should check the brakes.*
prüfen *to check*

Seite 51

die Auftragsbestätigung, -en *order confirmation*
die Rechnung, -en *invoice*
Nr. = die Nummer, -n *number*
Bremsbacken hinten 1 Seite aus- und eingebaut *brake shoe l side rear removed and replaced*
die Bremsbacke, -n *brake shoe*
hinten *rear*
ausbauen *to remove*
einbauen *to replace*
das Handbremsseil, -e *handbrake cable*
Bremse hinten eingestellt *rear brake adjusted*
einstellen *to adjust*
der Bremszug, -̈e *brake cable*
Wir danken für Ihren Auftrag und wünschen gute Fahrt. *We thank you for your order and wish you a good journey.*

danken *to thank*
der Auftrag, -̈e *order*
wünschen *to wish*
die Handbremse, -n *hand brake*
Herr Wegener ärgert sich darüber, denn
diese Reparatur hat 51 Mark 40 extra
gekostet. *Herr Wegener is annoyed
because this repair costs DM 51.40
extra.*
extra *extra*
montieren *to fit*
tanken *to fill up*
der Tankwart, -e *petrol pump attendant*
der Tank, -s *tank*
Das ist gelogen! *That's a lie!*
lügen *to lie*
Das überzeugt mich nicht! *I'm not
convinced!*
überzeugen *to convince*
Verzeihung! *Sorry!*

Seite 52

Vom Blech zum Auto *From metal to car*
das Blech (= Materialbezeichnung, kein
Plural) *metal*
die Autoproduktion *car production*
Sehr früh morgens werden Montageteile
und Material mit Zügen und
Lastwagen nach Wolfsburg gebracht.
*Very early in the morning the assembly
parts are brought by train and lorry to
Wolfsburg.*
das Montageteil, -e *assembly part*
das Material, -ien *material*
der Zug, -̈e *train*
der Lastwagen, - *lorry*
die Autokarosserie, -n *chassis*
Zuerst wird das Blech automatisch
geschnitten. *First the metal is cut
automatically.*

automatisch *automatic(ally)*
Dann werden daraus die Karosserieteile
gepreßt. *Then the chassis parts are
pressed from it.*
daraus *from it*
das Karosserieteil, -e *chassis part*
pressen *to press*
das Seitenteil, -e *side panel*
usw. = und so weiter *etc.*
Danach werden die Blechteile
zusammengeschweißt. *Then the metal
parts are welded together.*
das Blechteil, -e *metal part*
zusammenschweißen *to weld together*
schweißen *to weld*
der Roboter, - *robot*
die Karosserie, -n *chassis*
lackieren *to paint*
mehrere Male *several times*
das Mal, -e *time*
spritzen *to spray*
So wird sie gegen Rost geschützt. *Thus
it is protected against rust.*
der Rost *rust*
schützen *to protect*
der Sitz, -e *seat*
der Käufer, - *purchaser*
zusammensetzen *to put together*
das Karosserieblech, -e *chassis metal*
der Arbeiter, - *worker*
Bringen Sie die Sätze in die richtige
Reihenfolge. *Fit the sentences into the
right order.*
die Reihenfolge, -n *order*
zuletzt *finally*
Roboter schweißen die Bleche. *Robots
weld the metal.*
das Blech, -e *metal*

Seite 53

In der Karosserieabteilung werden die
  Bleche geformt. *In the chassis
  department the metal parts are shaped.*
die Karosserieabteilung, -en *chassis
  department*
formen *to form*
kompliziert *complicated*
die Montageabteilung, -en *assembly
  department*
das Autohaus, ̈er *car showroom*

Seite 54

der Berufskraftfahrer, - *professional
  driver*
die Berufskraftfahrerin, -nen
  professional driver (female)
der Autoverkäufer, - *car salesman*
die Berufsbezeichnung, -en *job title*
In Deutschland leben rund 5 Millionen
  Arbeitnehmer vom Auto. *In Germany
  some 5 million workers earn their living
  from cars.*
der Arbeitnehmer, - *employee*
die Autofabrik, -en *car factory*
die Autoteilefabrik, -en *car components
  factory*
das Autogeschäft, -e *car accessories shop*
das Amt, ̈er *office*
der Straßenbau *road building*
die wichtigsten Berufe rund ums Auto
  the most important jobs around the car
rund um *around*
Das ist keine leichte Arbeit. *That is no
  easy work.*
leicht *easy*
Auf Europas Straßen gibt es immer mehr
  Verkehr. *On Europe's roads there is
  more and more traffic.*

der Verkehr *traffic*
pünktlich *punctual*
Man ist oft mehrere Tage von seiner
  Familie getrennt. *You are often away
  from your family for days on end.*
getrennt sein *to be separated from*
der Verdienst *earnings*
beliebt *popular*
pflegen *to look after*
der Kfz-Meister, - *qualified car
  mechanic*
die Kfz-Meisterin, -nen *qualified car
  mechanic (female)*
dreieinhalb *three and a half*
Verdienst: 2000 bis 4000 Mark, je nach
  Arbeitsort und Leistung. *Earnings:
  2000 to 4000 Marks depending on place
  of work and performance.*
je nach *according to*
der Arbeitsort, -e *place of work*
der / die Angestellte, -n (ein Angestellter)
  white-collar worker
Sie lehren die Fahrschüler das Autofahren.
  They teach the learners to drive.
lehren *to teach*
der Fahrschüler, - *learner driver*
der Unterricht *teaching*
Verkehrsregeln (*Plural*) *rules of the road*
die Führerscheinprüfung, -en *driving test*
die Geduld *patience*
der Nerv, -en *nerve*
Nach abgeschlossener Berufsausbildung
  oder Abitur wird man … auf die
  staatliche Prüfung vorbereitet. *After
  completing an apprenticeship or taking
  Abitur, you are … prepared for the
  state exam.*
abgeschlossen *completed*
die Berufsausbildung *vocational
  training*
staatlich *state*

unterschiedlich *variable*

In Großstädten ist die Konkurrenz groß.
In large cities there is much competition.

die Konkurrenz *competition*

Tankwarte versorgen Kraftfahrzeuge mit
Benzin, Diesel, Gas und Öl.
Attendants supply vehicles with petrol,
diesel, gas and oil.

versorgen *to supply*

das Kraftfahrzeug, -e *vehicle*

das Gas *gas*

das Autozubehörteil, -e *accessory*

andere Artikel wie Zeitschriften,
Zigaretten und Getränke *other articles*
such as magazines, cigarettes and drinks

der Artikel, - *article*

die Zeitschrift, -en *magazine*

technisch *technical*

z.B. = zum Beispiel *for example*

testen *to test*

unregelmäßig *irregular*

geöffnet *open*

die Büroarbeit, -en *office work*

Autos an- und abmelden *to register and*
de-register cars

anmelden *to register*

abmelden *to de-register*

der Bankkredit, -e *bank loan*

die Versicherungspolice, -n *insurance*
policy

der Zubehörhandel *accessories trade*

Chancen: sehr gut, wenn man Erfolg hat.
Prospects: very good, if you are
successful.

der Erfolg, -e *success*

Seite 55

die Schichtarbeit *shift work*

Ihre Arbeitszeit wechselt ständig. *Your*
working hours are constantly changing.

ständig *constantly*

die Feuerwehrleute *firemen*

der Schichtarbeiter, - *shift worker*

die Tochter, ⁻ *daughter*

der Bahnhofskiosk, -e *station kiosk*

Seit sechs Jahren macht sie diesen Job.
She has been doing this job for six years.

der Job, -s *job*

der Facharbeiter, - *skilled worker*

die Autoreifenfabrik, -en *tyre factory*

die Frühschicht, -en *early shift*

die Nachtschicht, -en *night shift*

Einen gemeinsamen Feierabend kennen
die Eheleute nicht. *The couple do not*
have a common finishing time.

gemeinsam *common*

der Feierabend, -e *finishing time*

Eheleute *(Plural)* *married couple*

Dann sorgt er für die Kinder. *Then he*
looks after the children.

sorgen *to look after*

vormittags *in the morning*

das Reihenhaus, ⁻er *terraced house*

Ich bekomme 21,80 Mark pro Stunde plus
60 % extra für die Nachtarbeit. *I get*
DM 21,80 per hour, plus 60 % extra for
night work.

plus *plus*

die Nachtarbeit *night work*

die Überstunde, -n *overtime*

die Sonntagsarbeit *Sunday work*

der Arbeitstag, -e *working day*

die Schicht, -en *shift*

der Schichtzuschlag, ⁻e *shift*
supplement

das Urlaubsgeld, -er *holiday pay*

Dafür können sie sich ein eigenes Haus
leisten. *This means that they can*
afford their own house.

sich leisten *to afford*

die Urlaubsreise, -n *holiday trip*

Aber sie bezahlen dafür ihren privaten
   Preis: ...   *But for this they pay a
   personal price: ...*
privat   *private*
die Nervosität   *tension*
die Schlafstörung, -en   *disturbed sleep*
Arbeitspsychologen und Mediziner
   kennen diese Probleme und warnen
   deshalb vor langjähriger Schichtarbeit.
   *Industrial psychologists and doctors
   know these problems and warn against
   continued shift work over many years.*
der Arbeitspsychologe, -n   *industrial
   psychologist*
der Mediziner, -   *doctor*
warnen   *to warn*
langjährig   *for many years*
der Stundenlohn, ⁻e   *hourly wage*

Seite 56

die Interviewfrage, -n   *interview question*
der Zeitungsartikel, -   *newspaper article*
das Interview, -s   *interview*
die Partnerarbeit   *pair work*
Auch Herr und Frau Behrens haben
   unterschiedliche Arbeitszeiten.   *Herr
   and Frau Behrens also have different
   working hours.*
unterschiedlich   *different*
das Stichwort, -e *oder* ⁻er   *point*
... ist mit der Familie und Freunden
   weniger zusammen, aber dafür
   intensiver.   *... is less frequently with
   family and friends, but on the other
   hand more intensively.*
intensiv   *intensive(ly)*
Nachmittags machen sie und ihr Mann
   gemeinsam den Haushalt.   *In the
   afternoon she and her husband do the
   housework together.*

der Haushalt   *housework*
Nur der Straßenlärm beim Tagesschlaf
   stört.   *Only the noise from the street
   disturbs them when s/he sleeps in the
   daytime.*
der Straßenlärm   *street noise*
der Tagesschlaf   *daytime sleep*
das Taxi, -s   *taxi*
Beide geben deshalb wenig Geld aus.
   So neither spends much money.
ausgeben   *to spend*

Seite 57

der Lohn, ⁻e   *wage*
das Gehalt, ⁻er   *salary*
die Abrechnung, -en   *calculation*
Erklären Sie den Unterschied zwischen
   Netto- und Bruttolohn.   *Explain the
   difference between net and gross pay.*
der Unterschied, -e   *difference*
der Nettolohn, ⁻e   *net pay*
der Bruttolohn, ⁻e   *gross pay*
die Personal-Nr.   *personnel number*
der Zeitraum, ⁻e   *period*
162 Stunden à DM 21,80   *162 hours at
   DM 21.80*
à   *at*
der Zuschlag, ⁻e   *supplement*
die Mehrarbeit, -en   *overtime*
die Feiertagsarbeit   *holiday working*
das Essensgeld, -er   *meals allowance*
das Fahrgeld, -er   *travel allowance*
die Vermögensbildung   *Save As You
   Earn*
der Abzug, ⁻e   *deduction*
die Lohnsteuer, -n   *income tax*
die Klasse, -n   *class*
die Kirchensteuer, -n   *church tax*
evangelisch   *protestant*
katholisch   *catholic*

die Krankenversicherung, -en *health insurance*

der Arbeitnehmeranteil, -e *employee's contribution*

die Arbeitslosenversicherung, -en *unemployment insurance*

die Rentenversicherung, -en *pension insurance, superannuation scheme*

die Summe, -n *sum, total*

die Überweisung, -en *transfer*

das Konto, Konten *account*

die Stadtsparkasse, -n *municipal savings bank*

das Haushaltsgeld *housekeeping money*

die Durchschnittsfamilie, -n *average family*

usw. = und so weiter *etc.*

regelmäßig *regular*

die Ausgabe, -n *expense*

Wieviel Geld haben sie pro Monat übrig? *How much money do they have left each month?*

übrig haben *to have left*

die Lebensversicherung, -en *life insurance*

der Baukredit, -e *mortgage*

der Bausparvertrag, -̈e *building society savings scheme*

die Haushaltskasse, -n *family budget*

Monatliche Ausgaben für den privaten Verbrauch in vierköpfigen Arbeitnehmerfamilien *monthly expenses for private consumption in a four-person working class family*

monatlich *monthly*

privat *private*

der Verbrauch *consumption*

vierköpfig *consisting of four people*

die Arbeitnehmerfamilie, -n *working class family*

insgesamt *total*

der Verdiener, - *earner*

davon für: Möbel ... *of this for: furniture ...*

davon *of this*

das Haushaltsgerät, -e *household appliance*

die Haushaltsführung *maintenance*

der Schuh, -e *shoe*

das Verkehrsmittel, - *means of transportation*

sonstiges *miscellaneous, other*

überwiegend 2 Verdiener *mainly 2 earners*

überwiegend *predominantly*

Seite 58

der Kavalierstart *racing start*

Mist! *Damn!*

zuviel *too much*

Gas geben *to accelerate*

Jetzt sind die Zündkerzen naß. *Now the spark plugs are wet.*

die Zündkerze, -n *spark plug*

naß *wet*

Nicht aufs Gaspedal drücken! *Don't put your foot on the accelerator!*

das Gaspedal, -e *accelerator*

drücken *to press*

Verdammte Mistkarre! *Damned stupid car!*

verdammt *damned*

die Mistkarre, -n *old banger*

der Verteiler, - *distributor*

die Vorsicht *care*

Lange tut sie's nicht mehr. *It won't go on for much longer.*

es tun *to work*

Damit die Zündkerzen trocknen ... *So that the plugs can dry out ...*

damit *so that*

trocknen *to dry*

Lektion 5

Seite 59

sich küssen *to kiss*
sich streiten *to argue*
die Geburt, -en *birth*
erziehen *to bring up*
die Großmutter, ̈ *grandmother*
die Enkelin, -nen *granddaughter*
der Großvater, ̈ *grandfather*
der Enkel, - *grandson*

Seite 60

Ich versuche abzunehmen. *I am trying to*
  lose weight
abnehmen *to lose weight*
die Pünktlichkeit *punctuality*
pünktlich *punctual*
aktiv *active*
unfreundlich *unfriendly*

Seite 61

Ich hasse es, wenn jemand zuviel redet.
  I hate it, when someone talks too much.
hassen *to hate*
Unhöfliche Leute kann ich nicht leiden.
  I cannot bear impolite people.
unhöflich *impolite*
leiden können *to stand*
der Humor *humour*
die Laune, -n *mood*
dauernd *constantly*
aggressiv *aggressive*
höflich *polite*
doof *stupid*
neugierig *inquisitive*
Mein Freund hat nie Lust, mit mir tanzen
  zu gehen. *My boy-friend never feels*
  like going dancing with me.

die Lust *inclination*
sich entschuldigen *to apologise*
sich unterhalten *to chat*
flirten *to flirt*

Seite 62

Wolfgang ärgert sich, weil die Telefon-
rechnungen immer sehr hoch sind.
  Wolfgang is annoyed because the
  telephone bills are always very high.
die Telefonrechnung, -en *telephone bill*
der Eheberater, - *marriage counsellor*
Sie können auch selbst Sätze bilden.
  You can also form sentences yourself.
bilden *to form*
Geld sparen *to save money*
sparen *to save*
Hosen in den Schrank hängen *to hang*
  trousers in the wardrobe
hängen *to hang*

Seite 63

das Paar, -e *couple*
Viele möchten in den ersten Ehejahren frei
  sein und das Leben genießen. *Many*
  couples want to be free in their first
  years of marriage and enjoy life.
das Ehejahr, -e *marriage year*
genießen *to enjoy*
Andere wollen zuerst mal Karriere
  machen und Geld verdienen. *Others*
  want to have a career and earn money.
die Karriere, -n *career*
die Untersuchung, -en *survey*
Nur 10 Prozent der jungen Ehepaare
  wollen gleich nach der Heirat Kinder.
  Only 10 percent of young married
  couples want to have children straight
  after marriage.

das Prozent, -e   *percent*
die Heirat   *marriage*
30 Prozent haben keine klare Meinung.
30 percent have no clear opinion.
klar   *clear*
60 Prozent finden, daß berufliche Karriere und Anschaffungen am Anfang der Ehe wichtiger sind.   *60 percent think that a professional career and buying things are more important at the start of a marriage.*
die Anschaffung, -en   *acquisition*
beruflich   *professional*
die Ehe, -n   *marriage*
der / die Angestellte, -n   *white-collar worker*
der / die Auszubildende, -n (ein Auszubildender)   *apprentice, trainee*
die Verlagskauffrau, -en   *publishing executive (female)*
die Arzthelferin, -nen   *doctor's assistant (female)*
das Baby, -s   *baby*
hoffen   *to hope*
anschaffen   *to acquire*
… daß seine Frau erst noch ihren Abschluß macht.   *… that his wife should pass her exams first.*
der Abschluß, Abschlüsse   *final exam*

Seite 64

geb. = geborene   *née*
die Hochzeitsreise, -n   *honeymoon*
sich verloben   *to get engaged*
der Modelldialog, -e   *model dialogue*
Machen Sie weitere Dialoge nach diesem Muster.   *Make up further dialogues according to this pattern.*
das Muster, -   *pattern*
der / die Verlobte, -n (ein Verlobter)   *fiancé(e)*

die U-Bahn, -en   *underground*
das Urteil, -e   *judgment*
die Liebe   *love*
Ich bin dagegen, daß eine Ehefrau arbeitet.   *I am against wives working.*
dagegen   *against*
die Ehefrau, -en   *wife*
Ich glaube, daß die Ehe die Liebe tötet.   *I think that marriage kills love.*
töten   *to kill*
überzeugt   *convinced*
Ich bin sicher, daß die Ehe in 50 Jahren tot ist.   *I am sure that in 50 years time marriage will be dead.*
tot   *dead*
Wie finden Sie die Meinungen der anderen Kursteilnehmer?   *What do you think of the other course members' opinions?*
der Kursteilnehmer, -   *course member*

Seite 65

Im Sommer ist es schön, weil …   *In summer it is nice because …*
der Sommer, -   *summer*
Dann grillen wir immer.   *Then we always have barbecues.*
grillen   *to have a barbecue*
die Sauce, -n   *sauce*
die Hausaufgabe, -n   *homework*
Meine Mutter schimpft über die Unordnung im Kinderzimmer.   *My mother complains about the untidiness in the children's room.*
schimpfen   *to complain*
die Unordnung   *untidiness*
Entweder ihr seid still oder ihr geht gleich ins Bett!   *Either you are quiet or you go straight to bed!*
entweder … oder …   *either … or …*

Ich fühle mich nicht wohl. *I don't feel well.*

sich wohlfühlen *to feel well*

Nach dem Essen darf ich noch eine halbe Stunde aufbleiben. *After supper I am allowed to stay up for half an hour.*

aufbleiben *to stay up*

Meine Mutter möchte abends manchmal weggehen. *My mother would sometimes like to go out in the evenings.*

weggehen *to go out*

Seite 66

der Familienabend, -e *family evening*

Der Vater hat schlechte Laune, weil er sich im Betrieb geärgert hat. *Father is in a bad mood because something annoyed him at work.*

der Betrieb, -e *firm*

Die Mutter ist ärgerlich, weil der Vater abends immer müde ist. *Mother is cross because father is always tired in the evenings.*

ärgerlich *cross*

Die Kinder sind abends alleine, weil die Eltern weggehen. *The children are alone in the evenings because the parents go out.*

alleine *alone*

die Stammkneipe, -n *local, favourite pub*

erstmal *first and foremost*

der Jazztanz *jazz dancing*

das Theaterabonnement, -s *theatre season ticket*

das Menü, -s *set meal, menu*

die Sauna, -s oder Saunen *sauna*

zweimal pro Woche zum Sport *twice a week sport*

zweimal *twice*

Wie verbringen Günter und Vera ihren Feierabend? *How do Günter and Vera spend their evenings?*

verbringen *to spend*

der Feierabend, -e *evening after work*

Seite 67

Früher kümmerte sich der Vater nur selten um die Kinder. *In the past the father used to concern himself little with the children.*

sich kümmern *to concern oneself*

Früher erzog man die Kinder sehr streng. *One used to bring up the children too strictly.*

streng *strict*

Früher wurden die Kinder geschlagen. *Children used to be beaten.*

schlagen *to hit*

Großeltern *(Plural)* *grandparents*

Früher lebten keine unverheirateten Paare zusammen. *No unmarried couples used to live together.*

unverheiratet *unmarried*

Früher war der Mann der Herr im Haus. *The husband used to be master in the home.*

der Herr, -en *master*

Seite 68

Fünf Generationen auf dem Sofa *Five generations on the sofa*

die Generation, -en *generation*

das Sofa, -s *sofa*

die Urgroßmutter, ⸚ *great-grandmother*

die Ururgroßmutter, ⸚ *great-great-grandmother*

die Ururenkelin, -nen *great-great-granddaughter*

die Erziehung   *bringing-up of children*
das Altersheim, -e   *old people's home*
das Enkelkind, -er   *grandchild*
Marias Jugendzeit war sehr hart.
   Maria's youth was very hard.
die Jugendzeit   *youth*
das Kindermädchen, -   *children's nurse,*
   nanny
Adele lebte als Kind in einem gut-
bürgerlichen Elternhaus.   *As a child*
   Adele lived in a middle class home.
gutbürgerlich   *middle*
das Elternhaus, ¨er   *home*
Wirtschaftliche Sorgen kannte die Familie
nicht.   *The family had no experience of*
   money worries.
wirtschaftlich   *economic*
die Sorge, -n   *worry*
der Privatlehrer, -   *private tutor*
Sie waren ihr immer etwas fremd.   *To an*
   extent they were always strangers to her.
fremd   *strange*
Manchmal gab es auch Ohrfeigen.
   Sometimes she was slapped.
die Ohrfeige, -n   *slap*
die Mädchenschule, -n   *girls' school*
An ihre eigene Kindheit dachte sie schon
   damals nicht so gern zurück.   *Even*
   then she did not like to think back to her
   own childhood.
die Kindheit   *childhood*
zurückdenken   *to think back*

Seite 69

Das Wort der Eltern war Gesetz.   *The*
   parents' word was law.
das Gesetz, -e   *law*
Auch in den Kriegsjahren fühlte sich
   Ingeborg bei ihren Eltern sehr sicher.
   Even in the war years Ingeborg felt very
   secure with her parents.

das Kriegsjahr, -e   *war year*
sich sicher fühlen   *to feel safe*
Dann mußten die Kinder gewöhnlich in
   ihrem Zimmer bleiben.   *Then the*
   children usually had to stay in their
   room.
gewöhnlich   *usually*
leicht   *easy*
der Rebell, -en   *rebel*
Noch während der Schulzeit zog sie
   deshalb zu Hause aus.   *So she left*
   home while she was still at school.
während   *while, during*
Trotzdem blieb sie mit dem Kind nicht
   allein.   *Nevertheless she did not stay*
   alone with the child.
alleinbleiben   *to stay alone*
Auch sie wollten in ihrer Jugend
   eigentlich anders leben als ihre Eltern.
   In their youth, they too wanted to live
   differently from her parents.
die Jugend   *youth*
der / die Verwandte, -n (ein Verwandter)
   relative
langweilen (sich langweilen)   *to be bored*
unmöglich   *impossible*

Seite 70

Die Kinder sollen selbständig und kritisch
   sein.   *Children should be independent*
   and critical.
kritisch   *critical*

Seite 71

putzen   *to clean*
Sport treiben   *to do some sport*
der Urgroßvater, ¨   *great-grandfather*
das Fragespiel, -e   *quiz*
der Neffe, -n   *nephew*

31

die Nichte, -n *niece*
der Cousin, -s *cousin (male)*
die Cousine, -n *cousin (female)*
der Schwager, ⁻ *brother-in-law*
die Schwägerin, -nen *sister-in-law*
die Oma, -s *grandma*
der Opa, -s *grandpa*

Seite 72

Jedenfalls ist er nicht heiß. *In any case it's not hot.*
jedenfalls *in any case*
Aber du kannst doch nicht im Ernst behaupten, Erich, daß … *But Erich, you can't seriously claim that …*
behaupten *to claim*
die Tatsache, -n *fact*
Vorhin hast du gesagt, … *Just now you said …*
vorhin *just now*
jawohl *yes indeed*
lauwarm *lukewarm*

Lektion 6

Seite 73

der Frühling *spring*
der Sommer *summer*
der Herbst *autumn*
der Wetterbericht, -e *weather report*
der Müll *rubbish*
die Temperatur, -en *temperature*

Seite 74

die Landschaft, -en *landscape*
das Klima, -s *climate*

Sie können dabei die folgenden Wörter benutzen. *In this you can use the following words.*
dabei *in this*
das Grad, -e („20 Grad") *degree („20 degrees")*
Die Sonne scheint. *The sun is shining.*
der Regen *rain*
Es regnet. *It is raining.*
der Nebel *fog*
neblig *foggy*
feucht *damp*
der Schnee *snow*
Es schneit. *It is snowing.*
der Wind, -e *wind*
der Baum, ⁻e *tree*

Seite 75

In Sibirien kann es extrem kalt sein. *In Siberia it can be extremely cold.*
Sibirien *Siberia*
extrem *extremely*
ungesund *unhealthy*
ideal *ideal*
Es gibt plötzlich sehr starke Winde und gleichzeitig viel Regen. *There are suddenly very strong winds and at the same time a lot of rain.*
Es gibt … *There is/are …*
gleichzeitig *at the same time*
der Temperaturunterschied, -e *difference in temperature*
die Wüste, -n *desert*
der Golf, -e *bay*
In den langen Wintern zeigt das Thermometer manchmal bis zu 60 Grad minus. *In the long winters the thermometer sometimes shows up to minus 60 degrees.*
das Thermometer, - *thermometer*
minus *minus*

modern *modern*
das Schiff, -e *ship*
Regenwald, ⁼er *rain forest*
das Gewitter, - *thunder storm*
das Wetteramt, ⁼er *metereological office*
die Wettervorhersage, -n *weather forecast*
die Zeichenerklärung, -en *key to symbols*
wolkenlos *cloudless*
wolkig *cloudy*
bedeckt *overcast*
der Regenschauer, - *shower*
die Kaltfront, -en *cold front*
das Hochdruckgebiet, -e *area of high pressure*
das Tiefdruckgebiet, -e *area of low pressure*
die Luftströmung, -en *air flow*
der Luftdruck *air pressure*
hPa = Hektopascal *hectopascals*
die Wetterlage, -n *weather situation*
Das Tief über Großbritannien zieht allmählich nach Osten. *The low over Great Britain is gradually moving eastwards.*
allmählich *gradually*
die Meeresluft *sea air*
Alpen *(Plural)* *Alps*
die Vorhersage, -n *forecast*
die Tageshöchsttemperatur, -en *maximum daytime temperature*
die Tiefsttemperatur, -en *minimum temperature*
sonnig *sunny*
die Tagestemperatur, -en *daytime temperature*

Seite 76

die Nordsee *North Sea*
segeln *to sail*

das Tischtennis *table tennis*
die Gartenparty, -s *garden party*
der Reisewetterbericht, -e *holiday weather forecast*
Griechenland *Greece*
die Türkei *Turkey*
Norwegen *Norway*
Schweden *Sweden*
Finnland *Finnland*

Seite 77

das Bildwörterbuch, ⁼er *picture dictionary*
der Bach, ⁼e *stream*
der Berg, -e *mountain*
das Dorf, ⁼er *village*
das Feld, -er *field*
der Fluß, Flüsse *river*
das Gebirge, - *mountain range*
der Hügel, - *hill*
die Insel, -n *island*
der Park, -s *park*
der Rasen *lawn*
der See, -n *lake*
der Strand, ⁼e *beach*
das Tal, ⁼er *valley*
das Ufer, - *shore*
der Wald, ⁼er *forest*
die Wiese, -n *meadow*

Seite 78

die Zentrale, -n *centre*
der Fremdenverkehr *tourism*
das Preisrätsel, - *quiz with prizes*
der Handel *trade*
die Wirtschaft *economy*
flaches Land im Norden *flat land in the north*
flach *flat*

herrlich *splendid*
das Mittelgebirge, - *low mountain range*
Auch das überrascht Sie vielleicht: …
    This will probably surprise you: …
überraschen *to surprise*
die Bodenfläche, -n *surface*
Machen Sie mit bei unserem Quiz. *Join*
    in our quiz.
mitmachen *to join in*
Aus welcher Region Ihres Landes
    kommen Sie? *From which region of*
    your country do you come?
die Region, -en *region*
das Nachbarland, ¨er *neighbouring*
    country

Seite 79

Beantworten Sie die Fragen. *Answer the*
    questions.
beantworten *to answer*
die Tschechische Republik *Czech*
    Republic
an der deutsch-polnischen Grenze *on the*
    German-Polish border
polnisch *Polish*
die Rundreise, -n *round trip*
die Wochenendreise, -n *weekend trip*
das Volkslied, -er *folk song*
die Landkarte, -n *map*

Seite 80

die Schönheit, -en *beauty*
die Sauberkeit *cleanliness*
die Mobilität *mobility*
konsumieren *to consume*
wegwerfen *to throw away*

Seite 81

die Menge, -n *quantity*
Wir werfen in Deutschland pro Jahr
    30 Millionen Tonnen Abfälle auf den
    Müll. *In Germany we throw away*
    30 million tons of waste a year onto the
    rubbish tip.
werfen *to throw*
die Tonne, -n *ton*
der Abfall, ¨e *refuse*
der Müll (hier: = Müllkippe, Müllhalde)
    rubbish tip
Wenn man damit einen Güterzug füllen
    würde, hätte er eine Länge von
    12500 km. *If you filled a goods train*
    with all that, it would be 12500 km
    long.
der Güterzug, ¨e *goods train*
füllen *to fill*
die Länge *length*
die Strecke, -n *distance*
Zentralafrika *Central Africa*
Wir ersticken im Müll. *We are*
    suffocating in rubbish.
ersticken *to suffocate*
die Mülldeponie, -n *waste disposal site*
die Müllverbrennungsanlage, -n
    incinerating plant
Dabei gibt es hundert Beispiele, wo wir
    völlig sinnlos Müll produzieren. *There*
    are hundreds of examples of how we
    produce rubbish quite senselessly.
sinnlos *senseless*
produzieren *to produce*
die Plastiktüte, -n *plastic bag*
die Verpackung, -en *packaging*
Kaufen Sie bewußt ein! *Think before*
    you buy!
bewußt *consciously*
die Verschwendung *waste*

Ein großer Teil der Dinge … wurde industriell produziert. *A large proportion of the things … was produced by industry.*

industriell *industrially*

die Arbeitskraft, ¨e *labour*

die Energie, -n *energy*

der Rohstoff, -e *raw material*

das Glas *glass*

die Blechdose, -n *tin can*

das Recycling *recycling*

Aus diesem „Müll" können wieder neue Produkte aus Glas, Papier und Blech hergestellt werden, wenn man sie getrennt sammelt. *From this „rubbish" new products can be produced, made of glass, paper or metal, if they are separately collected.*

das Produkt, -e *product*

das Blech *metal*

herstellen *to produce*

getrennt *separately*

sammeln *to collect*

Auch Küchenabfälle … sind eigentlich viel zu schade für die Deponie. *Kitchen waste … is also really too good for the tip.*

Küchenabfälle *(Plural)* *kitchen waste*

zu schade für *too good for*

die Deponie, -n *tip*

die Kompostierung *making compost*

die Pflanzenerde *potting compost*

sortieren *to sort*

die Gefahr, -en *danger*

das Plastik *plastic*

der Kunststoff, -e *plastic*

der Lack, -e *lacquer*

das Pflanzengift, -e *weed-killer*

das Putzmittel, - *cleaning fluids*

die Mischung, -en *mixture*

Die chemischen Reaktionen dieses Müllcocktails kann man nicht kontrollieren. *The chemical reactions of these waste cocktails cannot be controlled.*

chemisch *chemical*

die Reaktion, -en *reaction*

der Müllcocktail *waste cocktail*

verbrennen *to incinerate*

Aber diese Filter können nur solche Gifte und gefährlichen Stoffe zurückhalten, die bekannt sind. *But these filters can only keep back known poisons and dangerous substances.*

der Filter, - *filter*

solch- *such*

das Gift, -e *poison*

der Stoff, -e (= Material) *material*

zurückhalten *to keep back*

bekannt *known*

der Experte, -n *expert*

der Giftstoff, -e *poison*

die Verbrennung *incineration*

entstehen *to result*

das Rauchgas, -e *fume*

unkontrollierbar *uncontrollable*

das Grundwasser *ground water*

die Sammelstelle, -n *collecting point*

der Problemmüll *problem waste*

Seite 82

die Einkaufstasche, -n *shopping bag*

das Plastikgeschirr *plastic plates and cutlery*

das Obst *fruit*

die Tüte, -n *bag*

die Pfandflasche, -n *returnable bottle*

die Plastikverpackung, -en *plastic packaging*

das Spielzeug *toy*

... Taschentücher aus Stoff benutzen.
  ... use fabric handkerchiefs.
das Taschentuch, ¨-er   *handkerchief*
aus Stoff   *fabric*
der Stoff, -e (= Textilie)   *fabric*
der Umweltschutz   *environmental
  protection*
Eine Stadt macht Ernst   *A town gets
  serious*
Ernst machen   *to get serious*
Aschaffenburg tut etwas gegen den
  Müllberg   *Aschaffenburg is doing
  something about the waste mountain*
der Müllberg, -e   *waste mountain*
die Gemeinde, -n   *community*
öffentlich   *public*
der Sammelcontainer, -   *skip*
Alt-   *used*
Trotzdem kommt dieser Abfall in den
  meisten Haushalten immer noch in die
  normale Mülltonne. *But in most
  households this rubbish still lands in the
  usual bin.*
der Haushalt, -e   *household*
die Mülltonne, -n   *dustbin*
die Müllreduzierung   *waste reduction*
Die Stadt Aschaffenburg ... hat ein neues
  Konzept entwickelt. *The town of
  Aschaffenburg ... has developed a new
  concept.*
das Konzept, -e   *concept*
entwickeln   *to develop*
der Container, -   *skip*
Gift- und Schadstoffe müssen zu einer
  Sammelstelle für Sondermüll gebracht
  werden. *Poisonous and dangerous
  materials have to be taken to a
  collecting point for special waste.*
der Schadstoff, -e   *dangerous material*
der Sondermüll   *special waste*
Gartenabfälle *(Plural)*   *garden rubbish*

biologisch   *biological*
der Sack, ¨-e   *sack*
Der Erfolg: Es gibt 64 % weniger Restmüll
  als vorher! *The result: there is 64 %
  less residual waste than previously!*
der Erfolg, -e   *success*
der Restmüll   *residual waste*
das Müllkonzept, -e   *concept for waste*
der Behälter, -   *container*
die Tonne, -n (= Behälter)   *bin*
die Öko-Bio-Hexe   *ecologically
  conscious witch*
der Kompost   *compost*

Seite 83

die Reihenfolge   *sequence*
interviewen   *to interview*
die Mülltrennung   *waste separation*
Dazu kann ich gar nichts sagen. *I can't
  say anything about that.*
dazu   *about that*
Das Thema Müll geht mir langsam auf die
  Nerven. *The topic of waste is slowly
  getting on my nerves.*
der Nerv, -en   *nerve*
der *oder* das Yoghurt   *yoghurt*
der Plastikbecher, -   *plastic pot*
die Plastikdose, -n   *plastic box*
die Getränkedose, -n   *drink can*
der Mülleimer, -   *waste bin*
einkaufen   *to buy (in)*

Seite 84

Ich will nicht klagen. *I don't want to
  complain.*
klagen   *to complain*
friedlich   *peaceful*
... vom Lastwagenverkehr abgesehen.
  ... apart from the lorry traffic.

Lastwagenverkehr *lorry traffic*
abgesehen von *apart from*
ordentlich *hearty*
das Chlor *chlorine*
Aber das ist ja nicht schädlich. *But that isn't harmful.*
schädlich *harmful*
das Fischmehl *fish meal*
längst *long ago*
gewöhnt *got used to*
der Preßlufthammer, ⁻ *pneumatic hammer*
Gewiß, an manchen Stellen roch es nicht so gut, wegen der vielen toten Fische. *Certainly, at some points it did not smell too good, because of the many dead fish.*
riechen *to smell*
wegen *because of*
tot *dead*
Und die Sonne kam auch nicht so recht durch. *And the sun did not come through properly.*
nicht so recht *not properly*
durchkommen *to come through*
dicht *thick*
der Smog *smog*
Aber der kleine Spaziergang hat mir sehr gut getan. *But the little walk did me good.*
guttun *to do good*
Gewiß, ich ... leide öfter unter Kopfschmerzen. *Certainly, I ... often suffer from headaches.*
leiden *to suffer*
öfter *frequently*
zuweilen *from time to time*
die Übelkeit *nausea*
... was mit der einen oder anderen Allergie zusammenhängt. *... which is linked to one allergy or another.*
die Allergie, -n *allergy*

zusammenhängen *to be connected with*
insgesamt *all in all*
in Anlehnung an *based on*

Lektion 7

Seite 85

reservieren *to reserve*
impfen *to vaccinate*
packen *to pack*

Seite 86

der Fluggast, ⁻e *passenger*
die Tabelle, -n *table*
die Schweizerin, -nen *Swiss (female)*
der Italiener *Italian*
die Gitarre, -n *guitar*
der Teddybär, -en *teddy bear*
der Schirm, -e *umbrella*
die Checkliste, -n *check list*
das Amt, ⁻er *office*
die Gepäckversicherung, -en *baggage insurance*
abschließen *to take out*
die Reisekrankenversicherung, -en *travel health insurance*
der Ausweis, -e *identity card*
verlängern *to renew*
Visum beantragen *to apply for a visa*
das Visum, Visa *visa*
beantragen *to apply for*
untersuchen *to examine*
der Reiseprospekt, -e *holiday brochure*
die Flugkarte, -n *air ticket*
bestellen *to order*
die Versicherungskarte, -n *insurance card*

tanken *to fill up*
der Schlüssel, - *key*
zumachen *to close*
der Reisescheck, -s *traveller's cheque*
die Seife, -n *soap*
die Zahnbürste, -n *toothbrush*
die Zahnpasta, Zahnpasten *toothpaste*
das Hemd, -en *shirt*
das Handtuch, ̈er *towel*
das Bettuch, ̈er *sheet*
das Fluggepäck *flight luggage*
wiegen *to weigh*

Seite 87

die Reiseplanung, -en *holiday planning*
der Campingurlaub *camping holiday*
die Industriemesse, -n *industrial trade
  fair*
die Liste, -n *list*
das Ferienhaus, ̈er *holiday cottage*
die Geschäftsreise, -n *business trip*
die Messe, -n *trade fair*
der Flug, ̈e *flight*
das Frühjahr *spring*
der Ski, -er *ski*
der Ski-Schuh, -e *ski-boot*

Seite 88

Wißt ihr, was mir vorige Woche passiert
  ist? *Do you know what happened to
  me last week?*
vorig- *last*
Ski fahren *to go skiing*
Da habe ich gemerkt, daß ich weder meinen
  Paß noch meinen Ausweis dabeihatte.
  *Then I noticed that I had neither my
  passport nor my identity card with me.*
merken *to notice*
weder ... noch ... *neither ... nor ...*

dabeihaben *to have with one*
normalerweise *normally*
keinen Zweck haben *to be of no use*
der Zweck, -e *use*

Seite 89

Sie planen eine Reise in die Sahara. *You
  are planning a journey to the Sahara.*
planen *to plan*
die Sahara *Sahara*
der Pazifische Ozean *Pacific Ocean*
die Antarktis *Antarctica*
die Reisegruppe, -n *tour group*
retten *to save*
Überzeugen Sie Ihre Mitspieler.
  Convince your fellow players.
überzeugen *to convince*
der Mitspieler, - *fellow player*
Nennen Sie Gründe. *State reasons.*
der Grund, ̈e *reason*
die Aluminiumfolie, -n *aluminium foil*
der Bleistift, -e *pencil*
die Brille, -n *spectacles*
der Camping-Gasofen, ̈ *camping gas
  stove*
das Familienfoto, -s *family photo*
der Kochtopf, ̈e *cooking pot*
der Kompaß, Kompasse *compass*
das Messer, - *knife*
das Blatt, ̈er *sheet*
die Plastiktasche, -n *plastic bag*
das Salz *salt*
die Seife, -n *soap*
das Seil, -e *rope*
das Streichholz, ̈er *match*
das Telefonbuch, ̈er *telephone book*
das Wasser *water*
die Wolldecke, -n *blanket*
die Zahnbürste, -n *toothbrush*
Ich bin dagegen. *I am against that.*

dagegen *against it*
das Feuer *fire*

Seite 90

das Journal, -e *journal*
jüngere Leute *(Plural) younger people*
der Job, -s *job*
dieselb- *the same*
die Arbeitserlaubnis *work permit*
der Sprachkurs, -e *language course*
Wir haben die wichtigsten Informationen
für Sie zusammengetragen: …
We have brought together the most
important information for you: …
zusammentragen *to bring together*
die EU = die Europäische Union
European Union
die Arbeitsstelle, -n *job*
gelten *to be valid*
schwierig *difficult*
Doris Kramer hat gerade ihre Prüfung als
Versicherungskauffrau bestanden.
Doris Kramer has just passed her
examination as an insurance executive.
die Versicherungskauffrau, -en
insurance executive (female)
bestehen *to pass*
Sie spricht mit ihrer Freundin über diesen
Plan. *She is talking to her friend about*
this plan.
der Plan, ˸e *plan*

Seite 91

die Reportage, -n *report*
eine tolle Erfahrung *a terrific experience*
die Erfahrung, -en *experience*
Doch nur wenige haben auch den Mut, es
zu tun. *But only a few have the*
courage to do it.

der Mut *courage*
Wir haben uns mit drei Frauen unterhalten, die vor dem Abenteuer Ausland
keine Angst hatten. *We spoke to three*
women who were not afraid of the
adventure of going abroad.
das Abenteuer, - *adventure*
die Fremdsprache, -n *foreign language*
… oder um einfach mal ein Abenteuer zu
erleben. *… or simply to experience an*
adventure.
erleben *to experience*
das Motiv, -e *motive*
Ich fand mein Leben in Deutschland
langweilig und wollte einfach raus.
I found my life in Germany boring and
simply wanted to get out.
raus *out*
Südfrankreich *the South of France*
die Jugendherberge, -n *youth hostel*
das Bistro, -s *bistro*
der Besitzer, - *owner*
2500 Mark netto verdiente sie als
Bedienung. *She earned 2500 marks*
net as a waitress.
die Bedienung *waiter, waitress*
der Eisberg, -e *iceberg*
Ich konnte wenig Französisch und war
deshalb sehr kühl, um meine Scheu vor
den Leuten zu verstecken. *I knew only*
a little French, and was therefore very
cool, in order to hide my shyness.
die Scheu *shyness*
verstecken *to hide*
der Kontakt, -e *contact*
Trotzdem empfiehlt sie jedem einen Job
im Ausland. *Nonetheless she would*
recommend to anyone a job abroad.
empfehlen *to recommend*
die Theaterwissenschaft, -en *drama (as*
a university subject)

39

die Mode, -n *fashion*
die Boutique, -n *boutique*
die Geschäftsführerin, -nen *manageress*
gutbezahlt *well-paid*
Trotzdem haben es Frauen in Deutschland viel leichter, sowohl im Beruf als auch im Privatleben. *Nonetheless, women in Germany have it much easier, both at work and also in their private lives.*
leicht *easy*
sowohl *both*
das Privatleben *private life*
In Italien bestimmen die Männer fast alles. *In Italy the man determines almost everything.*
bestimmen *to determine*
Auch hier gibt es Regeln und Gesetze, aber die nimmt man nicht so ernst. *Here too there are rules and laws, but they are not taken so seriously.*
die Regel, -n *rule*
das Gesetz, -e *law*
ernst nehmen *to take seriously*
Für Simone Dahms ist London eine zweite Heimat geworden. *For Simone Dahms London has become a second home.*
die Heimat *home*
die Buchhändlerin, -nen *bookshop assistant (female)*
überqualifiziert *over-qualfied*
die Abteilungsleiterin, -nen *head of department (female)*
Meine Freunde in Deutschland reagierten typisch deutsch: … *My friends in Germany had a typically German reaction: …*
reagieren *to react*
Schwierigkeiten hat sie noch mit der etwas kühlen Art der Engländer. *She still has difficulties with the English people's rather cool manner.*

die Schwierigkeit, -en *difficulty*
kühl *cool*
die Art *manner*
So richtige offene und herzliche Freundschaften findet man kaum. *One hardly ever finds truly open and warm friendships.*
die Freundschaft, -en *friendship*
kaum *scarcely*

Seite 92

die Kellnerin, -nen *waitress*
der Wunschberuf, -e *dream job*
bürokratisch *bureaucratic*
Wie beliebt sind die deutschen Touristen im Ausland? *How well-liked are German tourists abroad?*
beliebt *popular*
das Reisemagazin, -e *travel magazine*
der Urlaubstip, -s *holiday tip*
durstig *thirsty*
nackt *naked*
geizig *mean*
Deshalb möchten viele Deutsche im Ausland am liebsten nicht als Deutsche erkannt werden. *For this reason many Germans don't want to be recognized abroad as Germans.*
erkennen *to recognize*
Besitzerin einer kleinen Pension *owner of a small guest house*
die Besitzerin, -nen *owner (female)*
der Sonnenschirm, -e *sun-shade*

Seite 93

das Berufsleben *work*
korrekt *correct*
zuverlässig *dependable*
umweltbewußt *environmentally conscious*

China *China*
die Schiffbauingenieurin, -nen
shipbuildling engineer (female)
das Berufspraktikum, Berufspraktika
work experience
Obwohl sie große Ähnlichkeiten zwischen
der deutschen und amerikanischen
Arbeitswelt sieht, … *Although she sees*
great similarities between the German
and American working world, …
die Ähnlichkeit, -en *similarity*
die Arbeitswelt *working world*
… ist sie doch erstaunt, wie groß hier die
soziale Sicherheit besonders für Mütter
mit Kleinkindern ist. *… she is*
nonetheless surprised how extensive the
social security is, especially for mothers
with small children.
erstaunt *astonished*
die Sicherheit, -en *security*
das Kleinkind, -er *small child*
das Erziehungsgeld *child benefit*
die Reservierung, -en *reserving,*
reservation
Aber das ist vorbei. *But that is all over.*
vorbei *past*
… und daß sie im Beruf leichter Karriere
machen können als in den USA.
… and that they can make a career for
themselves more easily than in the USA.
Karriere machen *to make a career*
tolerant *tolerant*
der Amerikaner, - *American*
Urlaubszeiten *(Plural)* *holidays*
das Umweltbewußtsein *environmental*
awareness
Wie sehr wir in den USA die Natur
kaputtmachen, ist mir erst in Deutschland aufgefallen. *Only when I got to*
Germany did I realise how much we,
in the USA, are destroying nature.

kaputtmachen *to destroy*
auffallen *to be apparent*
Hier wird man sogar komisch angeguckt,
wenn man Papier auf die Straße wirft.
Here they look at you in a funny way if
you drop paper in the street.
angucken *to look at*
logisch *logical*
der Haushaltsplan, ⸚e *budget*
der Ausbildungsplan, ⸚e *training plan*
Hier ist kein Platz für Gefühle. *There is*
no room for feelings.
das Gefühl, -e *feeling*
Man interessiert sich wenig für die Sorgen
anderer Menschen. *There is less*
interest in other people's problems.
die Sorge, -n *concern*
positiv *positive*
die Hausarbeit, -en *housework*
die Kindererziehung *bringing up the*
children

Seite 94

Die Frauen sind zu emanzipiert. *Women*
are too emancipated.
emanzipiert *emancipated*
die Germanistik *German (as a university*
subject)
Die Deutschen sind viel spontaner als die
Chinesen. *Germans are far more*
spontaneous than the Chinese.
spontan *spontaneous*
der Chinese, -n *Chinese*
hektisch *hectic*
Ihre Küche ist nicht automatisiert, und ihr
Mann hilft kaum im Haushalt. *Her*
kitchen is not automated and her husband
hardly helps at all around the house.
automatisiert *automated*
chinesisch *Chinese*

Das Pronomen „sie" hat in den Sätzen verschiedene Bedeutungen. *In the following sentences the pronoun „sie" has different meanings.*
die Bedeutung, -en *meaning*
egoistisch *egoistical*
Sie zeigen, was sie denken und fühlen. *They show what they think and feel.*
fühlen *to feel*
Der Verstand ist für sie wichtiger als das Herz. *Reason is more important for them than feelings.*
der Verstand *understanding*
das Herz, -en *heart*
Wie finden Sie Ihre eigenen Landsleute? *What do you think about your compatriots?*

Seite 95

der Kommentar, -e *commentary*
auswandern *to emigrate*
einwandern *to immigrate*
das Asyl *asylum*
Die meisten Deutschen sind deshalb für eine Änderung des Ausländer- und Asylgesetzes. *So most Germans are in favour of changing the Foreigners and Asylum Act.*
die Änderung, -en *change*
Die Zahlen steigen sogar. *The numbers are even rising.*
steigen *to rise*
Diese Deutschen hoffen genauso auf Gastfreundschaft in ihren neuen Heimatländern wie … *These Germans hope for hospitality in their new home countries just as much as …*
die Gastfreundschaft *hospitality*
das Heimatland, -er *home country*
einreisen *to immigrate*

Das sollten wir bei der Diskussion um … nicht vergessen. *We should not forget this in the discussion about …*
die Diskussion, -en *discussion*
davon (in 1000) *of these (in 1000's)*
davon *of these*
der Türke, -n *Turk*
der Pole, -n *Pole*
der Rumäne, -n *Romanian*
der Spanier, - *Spaniard*
der Niederländer, - *Dutchman*
der US-Amerikaner, - *American*
der Portugiese, -n *Portuguese*
der Vietnamese, -n *Vietnamese*
der Kroate, -n *Croat*
der Marokkaner, - *Moroccan*
der Tscheche, -n *Czech*
der Slowake, -n *Slovak*
der Ungar, -n *Hungarian*
ehem. = ehemalig *former*
der Sowjetbürger, - *Soviet citizen*
der Bulgare, -n *Bulgarian*
der Srilanker, - *Sri Lankan*
der Afghane, -n *Afghan*
der Inder, - *Indian*
der / die Verwandte, -n (ein Verwandter) *relative*
das Praktikum, Praktika *training placement*

Seite 96

Urlaubspläne *(Plural)* *holiday plans*
die Karibik *Caribbean*
tauchen *to dive*
Donnerwetter! *Heavens!*
Kenia *Kenya*
der Löwe, -n *lion*
der Elefant, -en *elephant*
Das ist ganz in der Nähe von Ober-Hengsbach. *That is quite near Ober-Hengsbach*

in der Nähe von   *near*
Und warum ausgerechnet nach Unter-
Hengsbach?   *And why to Unter-*
Hengsbach of all places?
ausgerechnet   *in particular*
Um die Zeit ist es in Unter-Hengsbach
herrlich ruhig.   *At this time of year*
Unter-Hengsbach is wonderfully quiet.
herrlich   *wonderfully*
tüchtig   *efficient*
fleißig   *hard-working*
diszipliniert   *disciplined*
D-Mark   *German Mark*

Lektion 8

Seite 97

die BRD = Bundesrepublik Deutschland
Federal Republic of Germany
die DDR = Deutsche Demokratische
Republik   *German Democratic Republic*
der Bundestag   *Lower house (of the*
German Parliament)
der Bundesadler   *Federal Eagle*
die Bundesregierung   *Federal Government*
die Bundestagspräsidentin   *President*
(female) of the Bundestag
die Regierungspartei, -en   *Government*
Party
die Oppositionspartei, -en   *opposition*
party
der Einwohner, -   *inhabitant*

Seite 98

die Presse   *press*
die Schlagzeile, -n   *headline*
das Wahlrecht   *voting rights*

ausländisch   *foreign*
der Arbeitnehmer, -   *worker, employee*
der Fußballstar, -s   *football star*
die Verletzung, -en   *injury*
der Preiskrieg, -e   *price war*
die Zigarettenindustrie   *cigarette industry*
das Stadion, -s   *stadium*
der Fußballverein, -e   *football club*
enttäuscht   *disappointed*
der Zollbeamte, -n   *customs official*
streiken   *to strike*
der Verkehrsunfall, ⁻e   *road accident*
Durch den Steuerskandal: ...   *As a result*
of the tax scandal: ...
der Steuerskandal, -e   *tax scandal*
die Regierungskrise, -n   *government crisis*
Portugal   *Portugal*
das Parlament, -e   *parliament*
die Straßenbahn, -en   *tram*
Außer dem Fahrer niemand verletzt
No-one injured apart from the driver
außer   *apart from*
der Fahrer, -   *driver*
verletzt   *injured*
der Sportplatz, ⁻e   *sports ground*
die Knieoperation, -en   *knee operation*
der HSV = der Hamburger Sportverein
Hamburg Sport Club (football team)
der Raucher, -   *smoker*
sparen   *to save*
Welche Nachrichten gehören zu welcher
Rubrik?   *Which news belongs to which*
section?
die Rubrik, -en   *section*
die Wirtschaft   *economy*
der Lokalteil, -e   *local section*
die Innenpolitik   *home news*
Immer noch kein Wahlrecht für Hexen!
Still no voting rights for witches!
die Brockenzeitung   *Brocken News*
(Brocken is where witches meet.)

Seite 99

der Briefumschlag, -̈e *envelope*
Pakete und Päckchen für Weihnachten
   bleiben wegen des Poststreiks liegen.
   Parcels and small packets for
   Christmas are left on account of postal
   strike.
das Paket, -e *parcel*
das Päckchen, - *small packet*
liegenbleiben *to be left*
der Poststreik, -s *postal strike*
der Lebensmittel-Laden, -̈ *grocery store*
der Stadtteil, -e *suburb*
das Einkaufszentrum, Einkaufszentren
   shopping centre
demonstrieren *to demonstrate*
das Ausländergesetz, -e *Law on*
   Foreigners
Fabrik durch Feuer zerstört. *Factory*
   destroyed by fire.
die Fabrik, -en *factory*
zerstören *to destroy*
das Verkehrsproblem, -e *traffic problem*
das Stadtzentrum, Stadtzentren *town/city*
   centre
Ein Reporter hat vier Personen interviewt,
   die von den Ereignissen auf den Bildern
   erzählen. *A reporter interviewed four*
   people who talk about the events in the
   pictures.
das Ereignis, -se *event*

Seite 100

Machen Sie mit Ihrem Nachbarn aktuelle
   Schlagzeilen zu Politik, Wirtschaft, …
   With your neighbour, make up head-
   lines about current events in politics,
   the economy, …
aktuell *current*

die Lokalnachricht, -en *local news*
der Klatsch *gossip*
die Öl-Katastrophe, -n *oil catastrophe*
Tanker vor britischem Vogelparadies
   gestrandet *Tanker stranded off British*
   bird sanctuary
der Tanker, - *tanker*
britisch *British*
das Vogelparadies, -e *bird sanctuary*
stranden *to strand*
Mafia-Boß in Palermo verhaftet *Mafia*
   boss arrested in Palermo
der Mafia-Boß *Mafia boss*
verhaften *to arrest*
die Braut, -̈e *bride*
das Blaulicht *flashing lights*
Mehrere Kandidaten für tschechische
   Präsidentschaft *Several candidates for*
   Czech Presidency
der Kandidat, -en *candidate*
die Präsidentschaft *presidency*
Wahlchancen *(Plural)* *election hopes*
sinken *to sink*
das Grab, -̈er *grave*
die Rose, -n *rose*
die Freiheitsstrafe, -n *prison sentence*
die Probefahrt, -en *test drive*
Bayern *Bavaria*
das Luxusauto, -s *luxury car*
rauben *to steal, to rob*
der Mordanschlag, -̈e *assassination*
   attempt
der Vize-Regierungschef, -s *deputy*
   prime minister, vice president
töten *to kill*
Türkin erkämpft Aufenthalt – Rechtsstreit
   um Ausweisung gewonnen *Turkish*
   woman wins right to stay – legal battle
   against extradition won
die Türkin, -nen *Turk (female)*
erkämpfen *to win by fighting*

der Aufenthalt   *residence*
die Ausweisung, -en   *extradition*
gefangen   *caught*
Wo ist der Friede in Gefahr?   *Where is*
peace in danger?
der Friede   *peace*
in Gefahr sein   *to be in danger*
die Gefahr, -en   *danger*
der Bürgerkrieg, -e   *civil war*
die Regierungskrise, -n   *government crisis*
die Konferenz, -en   *conference*
der Vertrag, ⁻e   *treaty*
unterschreiben   *to sign*
zurücktreten   *to resign*
die Demonstration, -en   *demonstration*
das Umweltproblem, -e   *environmental*
problem
das Unglück, -e   *serious accident*
die Katastrophe, -n   *catastrophe*
Wo ist ein Verbrechen geschehen?
Where was a crime committed?
das Verbrechen, -   *crime*
geschehen   *to take place, to happen*
der Skandal, -e   *scandal*
die Meisterschaft, -en   *championship*

Seite 101

der / die Abgeordnete, -n (ein Abgeord-
neter)   *deputy, member of parliament*
AP (= Associated Press)   *AP*
die Mehrheit, -en   *majority*
beschließen   *to decide*
der Beschluß, Beschlüsse   *decision*
dpa (= Deutsche Presse-Agentur)   *DPA*
(German Press Agency)
Eine große Gruppe von Abgeordneten fast
aller Parteien fordert ein neues Wahlrecht.   *A large group of deputies from*
almost all parties is demanding a new
electoral law.

die Partei, -en   *party*
fordern   *demand*
Der Vorschlag, für den eine Änderung der
Verfassung notwendig ist, wird diese
Woche im Bundestag diskutiert.   *The*
proposal, which would require a change
in the constitution, will be discussed in
the Bundestag this week.
der Vorschlag, ⁻e   *proposal*
die Änderung, -en   *change*
die Verfassung, -en   *constitution*
die Landtagswahl, -en   *state elections*
eig. Ber. = eigener Bericht   *from a staff*
reporter
der Sozialdemokrat, -en   *social democrat*
die SPD = die Sozialdemokratische Partei
Deutschlands   *Social Democratic*
Party of Germany
die Stimme, -n   *vote*
christlich   *christian*
die CDU = die Christlich-Demokratische
Union (Deutschlands)   *Christian*
Democratic Union
der Ministerpräsident, -en   *prime minister*
die FDP = die Freie Demokratische Partei
(Deutschlands)   *Free Democratic Party*
der Bundespräsident, -en   *Federal*
President
der Staatsbesuch, -e   *state visit*
viertägig   *four-day*
Er wurde im Königlichen Schloß von
König Carl Gustaf und seiner aus
Deutschland stammenden Frau, Königin
Silvia, begrüßt.   *He was welcomed at*
the Royal Palace by King Carl Gustaf
and his German wife Queen Silvia.
das Königliche Schloß   *royal palace*
stammen   *to come from*
begrüßen   *to greet*
der Wirtschaftsminister, -   *finance minister*
drohen   *to threaten*

45

der Rücktritt, -e *resignation*
der Bundeswirtschaftsminister, - *federal finance minister*
das Kabinett, -e *cabinet*
die Subvention, -en *subsidy*
die Milliarde, -n *thousand million / billion (US)*
kürzen *to reduce*
der Bundesrat *Upper house / Senate*
die Reform, -en *reform*
das Mehrwertsteuergesetz, -e *Law on value added tax*
das Bundesland, ⁻er *federal state*
das Gesetz, -e *law*
die Mehrwertsteuer, -n *value added tax*
schleswig-holsteinisch *of Schleswig-Holstein*
das Geldproblem, -e *financial problem*
Die alte Koalition aus CDU und Freien Demokraten hat damit ihre Mehrheit im Landtag verloren. *The old coalition between the CDU and the Free Democrats has thus lost its majority in the state parliament.*
die Koalition, -en *coalition*
der Landtag, -e *state parliament*
die Bundestagswahl, -en *federal elections*
die CSU = die Christlich-Soziale Union *Christian-Social Union (in Bavaria)*
das Wahlgesetz, -e *election law*
Ohne ihre Stimmen aber gibt es keine Zwei-Drittel-Mehrheit für eine Verfassungsänderung. *Without their votes there will be no two-thirds majority for a change in the constitution.*
die Zwei-Drittel-Mehrheit, -en *two-thirds majority*
sparen *to save*
der Bürger, - *citizen*
verkleinern *to reduce*

Sie erinnerte an einen Satz des Finanzministers: … *She recalled a statement by the finance minister: …*
erinnern *to recall*
der Finanzminister, - *finance minister*
der Bundesaußenminister, - *federal foreign minister*
begleiten *to accompany*
schwedisch *Swedish*
ein Gespräch führen *to hold talks*
Wenn das Ziel nicht erreicht wird, dann hat die Bundesregierung einen neuen Wirtschaftsminister. *If this goal is not reached, the federal government will have a new finance minister.*
das Ziel, -e *goal*
erreichen *to reach*
Der Minister hofft, daß das Kabinett seinem Vorschlag folgt. *The minister hopes that the cabinet will go along with his proposal.*
folgen *to go along with*
die Alternative, -n *alternative*
Schulden (Plural) *debts*
kommentieren *to comment on*
Einen Rücktrittswunsch kann ich auch annehmen. *I can also accept a resignation request.*
der Rücktrittswunsch, ⁻e *resignation request*
annehmen *to accept*
zusammensetzen *to assemble*
der Zeitungstext, -e *newspaper article*
das System, -e *system*

Seite 102

das Wahlsystem, -e *electoral system*
der Bund *Federation*
der Bundesminister, - *Federal Minister*
repräsentative Aufgaben (Plural) *public duties*

repräsentativ *representative*
die Aufgabe, -n *task*
der Landesminister, - *state minister*
der Ministerpräsident, -en *prime minister*
die Landesregierung, -en *state government*
das Parlament, -e *parliament*
die Parlamentskammer, -n *chamber*
der Landtag, -e *state parliament*
der Wähler, - *voter*
Beschreiben Sie die Darstellung.
Describe the diagram.
die Darstellung, -en *diagram*
national *national*
der Regierungschef, -s *head of government*
Er wird nicht direkt vom Volk gewählt, sondern von den Abgeordneten. *He is not directly elected by the people but by the deputies.*
das Volk *people*
wählen *to elect*
ernennen *to appoint*
das Bundesland, ⁻er *federal state*
das Landesparlament, -e *state parliament*
das Mitglied, -er *member*
der Staatschef, -s *head of state*

Seite 103

das Politik-Quiz *political quiz*
Wann wurde die Bundesrepublik Deutschland gegründet? *When was the Federal Republic founded?*
gründen *to found*
der 2. Weltkrieg *Second World War*
sozialistisch *socialist*
die parlamentarische Demokratie, -n *parliamentary democracy*

die Monarchie, -n *monarchy*
nationalistisch *nationalist*
konservativ *conservative*
liberal *liberal*
ökonomisch *economic*
demokratisch *democratic*
befreundet *on friendly terms*
das Regionalparlament, -e *regional parliament*

Seite 104

unabhängig *independent*
die Sowjetunion *Soviet Union*
unter dem Einfluß von ... stehen *to be under the influence of ...*
der Einfluß, Einflüsse *influence*
Im März 1952 schlug die Sowjetunion ... einen Friedensvertrag für Deutschland vor. *In March 1952 the Soviet Union proposed ... a peace treaty for Germany.*
vorschlagen *to propose*
der Friedensvertrag, ⁻e *peace treaty*
der Vertrag, ⁻e *treaty*
neutral *neutral*
West-Alliierten *(Plural)* *Western allies*
Ein neutrales Deutschland wäre ... von der Sowjetunion abhängig. *A neutral Germany would be ... dependent on the Soviet Union.*
abhängig *dependent*
Auch die damalige Regierung entschied sich für die Bindung an den Westen. *The government of the day also decided on ties with the West.*
damalig- *at that time*
die Bindung, -en *link, bond*
die Armee, -n *army*
der Warschauer Pakt *Warsaw Pact*
die NATO (= North Atlantic Treaty Organization) *NATO*

Während es in der DDR große wirtschaftliche Probleme gab, entwickelte
sich die Wirtschaft in der Bundesrepublik sehr positiv. *Whereas the
GDR had major economic problems, the
economic development of the Federal
Republic was very positive.*
während *while*
wirtschaftlich *economic*
entwickeln *to develop*
positiv *positive*
Tausende *thousands*
flüchten *to flee*
Die DDR schloß schließlich ihre Grenze
zur Bundesrepublik. *In the end the
GDR closed its borders to the Federal
Republic.*
schließen *to close*
die Waffengewalt *force of arms*
die Lücke, -n *gap*
das Grundgesetz *Constitution*
beitreten *to join*
nach Artikel 23 des Grundgesetzes
*according to article 23 of the
Constitution*
der Artikel, - *article*
erstellen *to draw up*
die Zeitleiste, -n *chronology*

Seite 105

Am 10. Oktober 1949 nimmt die Regierung
der Deutschen Demokratischen Republik
unter Otto Grotewohl ihre Tätigkeit auf.
*On 10th October 1949 the government of
the German Democratic Republic under
Otto Grotewohl started work.*
demokratisch *democratic*
eine Tätigkeit aufnehmen *to take up work*
die Einheit *unity*
erinnern *to recall, to commemorate*

Wirtschaftskontakte *(Plural)* *economic
contacts*
Im Juni 1953 kam es … zu Streiks
und Demonstrationen gegen die
kommunistische Diktatur und die
Wirtschaftspolitik. *In June 1953 there
were … strikes and demonstrations
against the Communist dictatorship and
the economic policies.*
der Streik, -s *strike*
kommunistisch *communist*
die Diktatur, -en *dictatorship*
die Wirtschaftspolitik *economic policy*
Sowjetische Panzer sorgten wieder für
Ruhe. *Soviet tanks ensured calm.*
sowjetisch *Soviet*
der Panzer, - *tank*
für Ruhe sorgen *to ensure calm*
die Mehrheit, -en *majority*
Ende der sechziger Jahre gab es jedoch
starke Proteste. *However at the end of
the sixties there were loud protests.*
jedoch *however*
der Protest, -e *protest*
die Studentendemonstration, -en *student
demonstration*
kapitalistisch *capitalist*
eng *close*
der Beginn *start*
sogenannt- *so-called*
die Grundlage, -n *basis*
der Kontakt, -e *contact*
der Bundesbürger, - *West German*
Allerdings durften nur wenige DDR-
Bürger in den Westen reisen. *Though
only a few GDR citizens could travel to
the West.*
allerdings *though*
öffnen *to open*
Ungarn *Hungary*
die Flucht *flight*

möglich *possible*
die Botschaft, -en *embassy*
Warschau *Warsaw*
die Ausreise *emigration, exit*
erhalten *to receive*
Bald kam es in Leipzig ... zu Massen-
demonstrationen. *Soon there were ...*
mass demonstrations in Leipzig.
die Massendemonstration, -en *mass*
demonstration
Zuerst ging es um freie Ausreise in die
westlichen Länder. *First of all the call*
was for freedom to travel to Western
countries.
westlich *Western*
Aber bald wurde der Ruf nach „Wiedervereinigung" immer lauter. *But soon*
the call for „reunification" became
louder and louder.
der Ruf, -e *call*
die Wiedervereinigung *reunification*
die Oppositionsgruppe, -n *opposition*
group
entstehen *to come into being*
die Sozialistische Einheitspartei Deutschlands *Socialist Unity Party of Germany*

Seite 106

die Pressekonferenz, -en *press*
conference
das Flüchtlingsproblem, -e *refugee*
problem
der Sprecher, - *spokesperson*
sich entschließen *to decide*
eine Regelung treffen *to make a regulation*
die Regelung, -en *regulation*
möglich *possible*
der Grenzübergangspunkt, -e *border*
crossing point
ausreisen *to leave the country*

die Sensation, -en *sensation*
die Fernsehnachricht, -en *television news*
Zehntausende *tens of thousands*
An den Grenzen herrscht Volksfest-
stimmung. *At the borders the mood*
was that of a fairground.
herrschen *to predominate*
das Volksfest, -e *fairground*
die Stimmung, -en *mood*
der Regierende Bürgermeister
Governing Mayor
zusammenfassen *to sum up*
beinahe *almost*
ohnmächtig sein *to have fainted*
das Schaufenster, - *shop window*
der Sekt *sparkling wine, German*
champagne
dankbar *grateful*
der Empfang, ¨e *reception*
hinüberfahren *to cross over*
Einige wollen eine ökologische
Gesellschaft in der DDR aufbauen.
Some want to build an ecological
society in the GDR.
ökologisch *ecological*
die Gesellschaft, -en *society*
aufbauen *to build up*
verreisen *to travel*

Seite 107

über 200 000 Menschen *over 200 000*
people
fliehen *to flee*
rund 410 000 *some 410 000*
legal *legally*
illegal *illegally*
Dies waren die wichtigsten Gründe,
warum sie die DDR verlassen haben: ...
These were the most important reasons
why they left the GDR: ...

dies *this, these*
westlich *Western*
zuwenig *too little*
die Behörde, -n *authority*
der Sozialismus *socialism*
der Buchautor, -en *writer*

Seite 108

der Hase, -n *hare*
das Feld, -er *field*
die Wiese, -n *meadow*
ausgetrocknet *dried out*
Was werden Sie dagegen tun? *What are you going to do about it?*
dagegen *against it*
der Wolf, ¨e *wolf*
Die letzten Umfragen zeigen ja eindeutig, daß der Wähler uns vertraut. *The most recent polls show clearly that the voters have confidence in us.*
die Umfrage, -n *survey*
eindeutig *unambiguously*
vertrauen *to trust*
die Trockenheit *drought*
Im Unterschied zur Opposition … *In contrast to the opposition …*
die Opposition *opposition*
offensichtlich *obviously*
ratlos *at a loss (for ideas)*
sich Gedanken machen *to give consideration*
der Gedanke, -n *thought*
drängend *urgent*
die Entschiedenheit *decisiveness*
in Angriff nehmen *to tackle*
der Angriff, -e *attack*
bekämpfen *to combat*
konkret *precisely*
Wir sind uns unserer Verantwortung voll und ganz bewußt. *We are fully aware of our responsibility.*

die Verantwortung *responsibility*
bewußt *aware*
der Realist, -en *realist*
der Träumer, - *dreamer*
Haben Sie schon konkrete Maßnahmen ins Auge gefaßt? *Have you envisaged any concrete measures?*
die Maßnahme, -n *measure*
ins Auge fassen *to envisage*
Meine Freunde und ich stimmen darin überein, daß … *My friends and I are in agreement that …*
darin *in that*
übereinstimmen *to be in agreement*
die Entschlossenheit *determination*
Probleme lösen *to solve problems*
im Auftrag der Wähler *on the voters' behalf*
der Auftrag, ¨e *order*
leiden *to suffer*
Ich bin persönlich der Meinung, daß … alles, was den Bürger bedrückt … *I am personally of the opinion that … everything that weighs upon the voters …*
bedrücken *to depress*
ernst nehmen *to take seriously*

Lektion 9

Seite 109

silbern *silver*
golden *golden*
eisern *iron*
die Rentnerin, -nen *pensioner (female)*
der Rentner, - *pensioner (male)*
die Rente, -n *pension*

Seite 110

Lesen Sie, was unsere Leser zu diesem Thema schreiben. *Read what our readers write on this topic.*

der Leser, - *reader*

Wir möchten sie schon lange in ein Altersheim bringen, aber wir finden keinen Platz für sie. *We have wanted for a long time to get her into an old people's home, but we cannot find a place for her.*

das Altersheim, -e *old people's home*

enttäuscht *let down, disappointed*

danken *to thank*

Großeltern *(Plural) grandparents*

Schulaufgaben *(Plural) homework*

das Märchen, - *fairy tale*

der Zoo, -s *zoo*

Und die Großeltern fühlen sich durch die Kinder wieder jung. *And because of the children the grandparents feel young.*

sich fühlen *to feel*

durch *because of*

Ich wünsche mir nur, daß ich gesund bleibe. *My only wish is that I should stay healthy.*

sich wünschen *to wish*

das Diskussionsthema, Diskussionsthemen *discussion topic*

Seite 111

das Familienleben stören *to disturb family life*

Welche Alternativen gibt es noch für alte Menschen? *What other alternatives exist for old people?*

die Alternative, -n *alternative*

die Wohngemeinschaft, -en *flat-sharing community*

die Altenwohnung, -en *old people's flat, retirement home*

die Altensiedlung, -en *old people's settlement*

Wohnung in der Nähe von Angehörigen *living near relatives*

der / die Angehörige, -n (ein Angehöriger) *relative*

Seite 112

der Lebensabend *eve of life*

das Seniorenheim, -e *senior citizens' home*

in einem Vorort von Stuttgart *in a Stuttgart suburb*

der Vorort, -e *suburb*

das Kleinappartement, -s *flatlet*

der Pensionär, -e *pensioner*

sich einrichten *to furnish one's home*

die Pflege *care*

das Sekretariat, -e *secretariat, secretary's office*

privat *private*

das Pflegeheim, -e *nursing home*

die Stadtmitte *town centre*

Wir betreuen, pflegen und versorgen alte und kranke Menschen in einer angenehmen, wohnlichen Atmosphäre. *We look after, nurse and care for old and sick people in a pleasant, homely atmosphere.*

betreuen *to look after*

pflegen *to nurse*

versorgen *to care for*

wohnlich *homely*

die Atmosphäre *atmosphere*

Altenheim der evangelischen Kirche *Protestant Church old people's home*

das Altenheim, -e *old people's home*

evangelisch *protestant*

Gemeinschaft – Sicherheit – Pflege bietet der Aufenthalt im Senioren- und Pflegeheim „Johanneshaus" in Saarbrücken. *Community, safety, care — this is what you get from a stay at the „Johanneshaus" residential and nursing home in Saarbrücken.*

die Gemeinschaft, -en *community*

der Aufenthalt, -e *stay*

der Stadtrand *outskirts of town*

nur 15 Busminuten von der City *only 15 minutes by bus from the city centre*

die City, -s *city centre*

Die Bewohner leben in hellen, speziell für alte Leute eingerichteten 1- u. 2-Bett-Zimmern. *The residents live in bright single or twin-bedded rooms specially equipped for old people.*

der Bewohner, - *resident*

speziell *specially*

eingerichtet *equipped*

das 2-Bett-Zimmer, - *twin-bedded room*

das WC, -s *WC, toilet*

der TV-Anschluß, TV-Anschlüsse *TV socket*

Das Haus hat alle Einrichtungen für eine moderne Pflege. *The home has all the equipment for modern-day care.*

die Einrichtung, -en *equipment*

Freizeitmöglichkeiten *(Plural)* *leisure activities*

der Videofilm, -e *video film*

die Busfahrt, -en *bus trip*

der Hobbyraum, ¨e *hobby room*

Das Haus ist offen für Privatzahler und für Personen, deren Kosten von der Pflegeversicherung oder vom Sozialamt bezahlt werden. *The home is open to those paying privately and also to people whose costs are being borne by care insurance schemes or by social services.*

deren *whose*

die Pflegeversicherung, -en *care insurance*

das Sozialamt, ¨er *social services*

das Heim, -e *home*

die Veranstaltung, -en *event*

die Lage *situation*

der Kontakt, -e *contact*

Diskutieren Sie die Bedingungen für ein ideales Altenheim. *Discuss the conditions for an ideal old people's home.*

die Bedingung, -en *condition*

das Seniorentreffen, - *senior citizens' get-together*

Notieren Sie die Angaben zu jeder der vier Personen. *Make a note of the details for each of the four people.*

notieren *to note*

die Angabe, -n *detail*

verwitwet *widowed*

Seite 113

das Statistische Bundesamt *Federal Statistics Office*

Bevölkerung nach 5-Jahres-Altersgruppen und Geschlecht in % *Population in 5-year age groups and sex in %*

die Bevölkerung *population*

5-Jahres-Altersgruppen *(Plural)* *5-year age groups*

das Geschlecht, -er *sex*

männlich *male*

weiblich *female*

Auf je 100 Einwohner kommen so viele Ältere: … *Out of 100 inhabitants there are so many older people: …*

je *every*

der / die Ältere, -n (ein Älterer) *older person*

Gesamtdeutschland *all of Germany*
DIW = Deutsches Institut für Wirtschafts-
forschung *German Institute for
Economic Research*
die Schätzung, -en *estimate*
Was sagen die Statistiken aus? *What do
the statistics tell us?*
aussagen *to express*
die Statistik, -en *statistic*
die Mehrheit, -en *majority*
Welche Probleme und Konsequenzen
kann es geben? *What problems and
consequences might there be?*
die Konsequenz, -en *consequence*
das Finanzproblem, -e *financial problem*
die Rentenversicherung *pension insurance*
besondere Artikel für alte Leute *special
articles for old people*
der Artikel, - *article*
Die Kosten für die Krankenversicherung
steigen. *The costs for health insurance
are rising.*
die Krankenversicherung, -en *health
insurance*
steigen *to rise*
das Pflegepersonal *nursing staff*
Industrie und Handel *industry and trade*
häufig *frequently*
... weil viele alte Leute sich nicht mehr
selbst versorgen können. *... because
many old people cannot look after
themselves any longer.*
versorgen *to look after*
... weil sie bei Wahlen mehr Stimmen als
früher haben. *... because they have
more votes than they used to.*
die Stimme, -n *vote*
das Bedürfnis, -se *need*
... weil es nicht genug junge Arbeitskräfte
gibt. *... because there are not enough
young workers.*

Arbeitskräfte (Plural) *labour force,
workforce*

Seite 114

der Möbelschreiner, - *carpenter*
Er wird Chef im Haus, wo vorher die Frau
regierte. *He is head of the house,
where his wife used to rule.*
regieren *to rule*
Wie das aussieht, erzählt (nicht ganz ernst)
Frau Bauer. *Frau Bauer describes
(not too seriously) what this means in
practice.*
aussehen *to appear*
So lebte ich, bevor mein Mann Rentner
wurde: ... *This is how I lived before
my husband became a pensioner: ...*
bevor *before*
Neben dem Haushalt hatte ich viel Zeit
zum ... *Alongside the housework I
had a lot of time to ...*
neben *alongside*
das Klavier, -e *piano*
extra für mich *specially for me*
extra *extra, specially*
sparen *to save*
In der Küche muß ich mich beeilen, weil
das Mittagessen um 12 Uhr fertig sein
muß. *In the kitchen I have to hurry,
because lunch must be ready at 12.*
sich beeilen *to hurry*
Während er schläft, backe ich nach dem
Mittagessen noch einen Kuchen. *While
he has a sleep after lunch, I bake a cake.*
während *while*
schlafen *to sleep*
Er schneidet die Anzeigen der Supermärkte
aus der Zeitung aus. *He cuts the
supermarket adverts out of the paper.*
ausschneiden *to cut out*

Als alter Handwerker repariert er
natürlich ständig etwas. *As an old
craftsman, he is of course always
mending something.*
der Handwerker, - *craftsman*
ständig *constantly*
der Elektroofen, ⁀ *electric stove*
der Hof, ⁀e *yard*
das Holzregal, -e *wooden shelf*
Leider braucht er wie in seinem alten
Beruf einen Assistenten, der tun muß,
was er sagt. *Unfortunately, just as in
his old job, he needs an assistant who
has to do what he says.*
der Assistent, -en *assistant*

Seite 115

Moment! *Just a minute!*
die Bürste, -n *brush*
der Kugelschreiber, - *biro*
der Verein, -e *club*
Karten spielen *to play cards*

Seite 116

Viele Paare feiern nach 25 Ehejahren die
„Silberne Hochzeit". *Many couples
celebrate their Silver Wedding after
25 years of marriage.*
das Paar, -e *couple*
Und ganz wenige Glückliche können nach
65 gemeinsam erlebten Jahren die
„Eiserne Hochzeit" feiern. *And very
few happy people can celebrate their
Iron Wedding after 65 years together.*
erleben *to experience*
der Liebesbrief, -e *love letter*
Sie haben zugehört, wie wir gesungen
haben. *They listened to us singing.*
zuhören *to listen*

Aber mich habt ihr nie mitsingen lassen.
But you never let me join in the singing.
mitsingen *to join in the singing*
Meine Familie hat es Gott sei Dank
akzeptiert. *Thank heavens my family
accepted it.*
Gott sei Dank *thank heavens*
akzeptieren *to accept*
Wir mußten warten, bis Xaver Heiratsurlaub bekam. *We had to wait until
Xaver got wedding leave.*
der Heiratsurlaub *wedding leave*
die Traumehe, -n *dream marriage*
Nur einmal, aber das war schnell vorbei.
Only once, but that was over quickly.
vorbei *over*
Für die Denglers ist das offenbar kein
Problem. *For the Denglers that is
clearly no problem.*
offenbar *clearly*
stundenlang *for hours on end*

Seite 117

der Tanzsalon, -s *dance-hall*
der erste Weltkrieg *First World War*
Als Schlosser hatte er damals einen
Wochenlohn von 38 Mark. *As a fitter
he had a weekly wage of 38 marks.*
der Schlosser, - *fitter*
der Wochenlohn, ⁀e *weekly wage*
im Rückblick auf seine lange Ehe
looking back over his long marriage
der Rückblick, -e *retrospect*
Seine 90jährige Frau ist stolz auf ihren
Eherekord. *His 90-year-old wife is
proud of their marriage record.*
stolz *proud*
der Eherekord, -e *marriage record*
Das soll mir erst einer nachmachen!
Let's see someone else do that!

nachmachen *to imitate*
Das Erinnerungsfoto stammt von der
goldenen Hochzeit der beiden. *The
souvenir photo dates from their Golden
Wedding.*
das Erinnerungsfoto, -s *souvenir photo*
stammen *to date from*
Es war Liebe auf den ersten Blick. *It
was love at first sight.*
die Liebe *love*
der Blick, -e *glance*
der Jurist, -en *lawyer*
Seine Liebeserklärung heute: ... *His
declaration of love today: ...*
die Liebeserklärung, -en *declaration of
love*
die längste Zeit der Trennung in über 60
Ehejahren *the longest separation in
over 60 years of marriage*
die Trennung, -en *separation*

Seite 118

der Ehepartner, - *marriage partner*
Kürzen Sie den Text. *Shorten the text.*
kürzen *to shorten*
die Liebesgeschichte, -n *love story*
Ich bin 65 Jahre alt und fühle mich seit
dem Tod meiner Frau sehr einsam.
*I am 65 years old and since my wife
died I feel very lonely.*
einsam *lonely*
die Dame, -n *lady*
die Nichtraucherin, -nen *non-smoker
(female)*
der Tänzer, - *dancer*
ein schönes Haus im Grünen *a lovely
house in the country*

Seite 119

die Rentner-Band, -s *pensioners' band*
gründen *to found*
die Pensionierung *retirement*
der Sozialarbeiter, - *social worker*
Afrika *Africa*
Emil Staiger gewinnt Volkslauf *Emil
Staiger wins the cross-country race*
der Volkslauf *open cross-country race*
Kochen wie zu Großmutters Zeiten:
Rentnerin organisiert Kochkurse
*Cooking as in grandmother's days:
pensioner organises cooking courses*
organisieren *to organise*
der Kochkurs, -e *cooking course*
Statt Altersheim: Mit 70 in die
Wohngemeinschaft *Instead of an old
people's home: sharing a flat at 70*
statt *instead of*
Vor zwei Jahren hat sie einen Verein für
Leihgroßmütter gegründet. *Two years
ago she founded a rent-a-granny club.*
die Leihgroßmutter, - *rent-a-granny*
Sie vermittelt ältere Damen an Familien,
die eine Hilfe für die Hausarbeit
brauchen. *She puts older ladies in
touch with families who need help in the
home.*
vermitteln *to place*
älter- *older*
Der Verein antwortet auf Anzeigen, die
von jungen Familien aufgegeben
werden. *The club answers adverts
which are placed by young families.*
eine Anzeige aufgeben *to place an
advert*
Frau Heidenreich hat früher einen
kleinen Jungen aus der Nachbarschaft
betreut. *Frau Heidenreich used to
look after a small boy from the
neighbourhood.*

die Nachbarschaft *neighbourhood*
betreuen *to look after*
die Nachbarsfamilie, -n *family next door*
das Vereinsmitglied, -er *club member*
die Tätigkeit, -en *activity*
Der Verein bekommt von den Familien
eine einmalige Vermittlungsgebühr.
*The club gets a one-off placement fee
from the families.*
einmalig *one-off*
die Vermittlungsgebühr, -en *placement
fee*
Wenn es Probleme gibt, werden sie
gemeinsam im Verein besprochen. *If
there are problems, they are talked over
together in the club.*
besprechen *to discuss*
der Zeitungsartikel, - *newspaper
article*

Seite 120

Schau nur, Otto, da drüben, die jungen
Leute! *Look, Otto, the young people
over there!*
drüben *over there*
Ach, du meinst das Pärchen, das gerade zu
uns rüberschaut? *Oh, you mean the
couple that is looking at us just now?*
das Pärchen, - *couple*
rüberschauen *to look over*
Die in ihrem Alter, daß die sich nicht
schämen. *At their age, they should be
ashamed of themselves.*
sich schämen *to be ashamed*
das Schäfchen, - *little lamb*
der Humpelbock, ¨e *hopalong*
im Gegenteil *on the contrary*
Dieses schreckliche Theater mit der
sogenannten Liebe! *This dreadful
palaver with so-called love!*

sogenannt *so-called*
aufstehen *to stand up*
fortgehen *to go out*
die Disco, -s *disco*
Und sie hat gesagt, daß sie nicht versteht,
warum er das dem Bob erlaubt hat.
*And she said she couldn't understand
why he let Bob get away with it.*
erlauben *to allow*
Wie wär's mit einem Kuß? *How about a
kiss?*
der Kuß, Küsse *kiss*
in aller Öffentlichkeit *in public*
die Öffentlichkeit *public*
deswegen *for that reason*

Lektion 10

Seite 121

das Lexikon, Lexika *dictionary*
das Bilder-Lexikon *picture dictionary*
das Kochbuch, ¨er *cookery book,
cookbook*
die Kunst *art*
die Zeitschrift, -en *magazine*
der Gewinn, -e *prize*
das Sachbuch, ¨er *non-fiction book*

Seite 122

der Reime-Baukasten, ¨ *rhyme building
kit*
der Reim, -e *rhyme*
das Boot, -e *boat*
der Sand *sand*
das Glas, ¨er *glass*
zählen *to count*
die Wolke, -n *cloud*

Machen Sie aus den Sätzen kleine Gedichte.
Make up short poems from the sentences.
das Gedicht, -e *poem*
Finden Sie auch einen Titel. *Also find a*
title.
der Titel, - *title*
Wenn Sie möchten, können Sie die Sätze
verändern. *If you wish, you can alter*
the sentences.
verändern *to alter*
vorbei *past*

Seite 123

der Herbsttag, -e *autumn day*
Wer jetzt allein ist, wird es lange bleiben.
Whoever is now alone will remain so
for a long time.
wird ... bleiben *will ... remain*
wachen *to lie awake*
die Allee, -n *avenue of trees, boulevard*
hin und her *to and fro*
unruhig *restless*
treiben *drift*
wunderschön *wonderful*
die Knospe, -n *bud*
springen *to burst forth*
die Liebe *love*
aufgehen *to open up*
singen *to sing*
gestehen *to confess*
das Sehnen *longing*
das Verlangen *yearning*
die Vergänglichkeit *transitoriness*
taumelbunt *so colourful it makes you*
dizzy
satt *replete*
trunken *drunk*
der Rauch *smoke*
Vom Dach steigt Rauch. *From the roof*
smoke rises.

steigen *to rise*
trostlos *wretched*
die Harfe, -n *harp*
vergehn = vergehen *to wither away*
Nur diese Stunde bist du noch mein.
Only for this hour are you still mine.

Seite 124

die Buch-Boutique, -n *book boutique*
der Bio-Garten, - *organic garden*
die Geburtstagstorte, -n *birthday cake*
(das) Rußland *Russia*
das Rezept, -e *recipe*
der Hunger *hunger*
die Ernährung *experience*
(das) Sizilien *Sicily*
Von ihrem Onkel wird sie sexuell miß-
braucht. *She is sexually abused by her*
uncle.
sexuell *sexual*
mißbrauchen *to abuse*
die Korrespondentin, -nen
correspondent (female)
die Autorin, -nen *author (female)*
In ihrem Buch beschreibt sie ihre vier
Moskauer Jahre. *In her book she*
describes her four years in Moscow.
privat *private*
das Obst *fruit*
alles, was Sie über den biologischen
Garten wissen müssen *everything you*
need to know about the organic garden
biologisch *biological*
Die Autorin gibt viele Tips aus der eigenen
Gartenpraxis. *The author gives many*
tips from her own gardening experience.
die Gartenpraxis *gardening experience*
das Mittelalter *Middle Ages*
der Kriminalroman, -e *thriller*
der Roman, -e *novel*

Nach diesem Bestseller wurde auch ein Kinofilm gedreht. *From this best-seller a film was made.*
der Bestseller, - *best-seller*
der Kinofilm, -e *film*
drehen *to film, to shoot*
die Hauptrolle, -n *leading role*
das Kinderbuch, ⸚er *children's book*
das Gartenbuch, ⸚er *gardening book*

Seite 125

die Herbstmilch *(Erklärung im Kursbuch auf Seite 128)* autumn milk *(explained on page 128)*
Lebenserinnerungen *(Plural)* *recollections*
die Bäuerin, -nen *farmer's wife*
geboren *born*
(das) Niederbayern *Lower Bavaria*
Als ältestes Mädchen muß sie in der großen Bauernfamilie die Hausfrau und Mutter ersetzen. *As the oldest girl she had to replace the wife and mother in the large farming family.*
ersetzen *to replace*
die Armut *poverty*
Mit zwanzig Jahren heiratet sie ihre erste und einzige Liebe Albert Wimschneider. *At the age of twenty she married her first and only love, Albert Wimschneider.*
einzig *only*
die Liebe *love*
das Militär *army*
der Arbeitstag, -e *working day*
Es ist keine Idylle vom fröhlichen und gesunden Landleben. *It is no idyll of happy and healthy country life.*
die Idylle, -n *idyll*
das Landleben *country life*
die Belletristik *fiction*

das Parfüm, -s *perfume*
die Haut, ⸚e *skin*
die Mühle, -n *mill*

Seite 126

der Landkreis, -e *district, county*
der Osthang, ⸚e *East-facing slope*
das *oder* der Hektar *hectar (approx. 2.5 acres)*
drinnen *inside*
bayerisch *Bavarian*
herauskommen *to come out*
die Haustüre, -n *front door*
die Badewanne, -n *bath tub*
ausschütten *to pour out*
das Blut *blood*
Ihre Brust hob und senkte sich in einem Röcheln. *Her breast rose and fell with a groan.*
sich heben *to rise*
sich senken *to fall*
atmen *to breathe*
Im Bettstadl lag ein kleines Kind und schrie, was nur rausging. *In the cradle lay a small child, crying for all it was worth.*
schreien *to cry*
rausgehen *to come out*
die Ernte, -n *harvest*
die Feldarbeit *work in the fields*
Da dachte der Vater, ich muß mir selber helfen. *Father thought, I must look after myself.*
denken *to think*
beibringen *to teach*
in meinem Beisein *in my presence*
Wenn sich's das Dirndl nicht merkt, haust du ihr eine runter. *If the girl doesn't remember, give her a clip round the ears.*
sich merken *to remember*

die Mehlspeise, -n   *dish made of flour, eggs and milk*
der Apfelstrudel   *apple strudel*
das Fischgericht, -e   *fish dish*
Milch und Kartoffeln und Brot gehörten zu unserer Hauptnahrung.   *Milk, potatoes and bread were part of our staple diet.*
die Hauptnahrung   *staple diet*
die Abenddämmerung   *dusk*
heimkommen   *to come home*
das Schwein, -e   *pig*
Die kleinen Kinder konnten kaum erwarten, bis er fertig war.   *The small children could hardly wait till it was finished.*
erwarten   *to wait for something*
das Kanapee, -s   *couch*
der Hunger   *hunger*
übrigbleiben   *to be left*
Friß nicht so viel, es bleibt ja nichts mehr für die Sau.   *Don't eat so much, there will be nothing left for the sow.*
fressen   *to eat (colloquial and animals)*
weiblich   *female*
zerreißen   *to tear*
zwingen   *to force*
nähen   *to sew*

Seite 127

Wenn es mir dann gar zu viel wurde, …   *If it really got too much for me, …*
die Speisekammer, -n   *larder, pantry*
hinter die aufgeschlagene Tür   *behind the open door*
sich verstecken   *to hide*
sich ausweinen   *to cry one's eyes out*
Ich weinte so bitterlich, daß meine Schürze ganz naß wurde.   *I cried so bitterly that my apron got quite wet.*
bitterlich   *bitterly*
die Schürze, -n   *apron*

Mir fiel dann immer ein, daß wir keine Mutter mehr haben.   *I kept remembering that we no longer had a mother.*
einfallen   *to strike*
Dann hielt er bei meinem Vater um mich an.   *Then he asked my father for my hand.*
anhalten um   *to ask for the hand of the daughter*
um Erlaubnis bitten   *to ask permission*
die Heirat   *marriage*
die Arbeitskraft, ̈e   *worker*
Meine Schwester konnte mich nicht so leicht ersetzen.   *My sister could not replace me so easily.*
ersetzen   *to replace*
Am 25. Juli 1939 wurde an Albert der Hof übergeben.   *On 25th July 1939 the farm was transferred to Albert.*
der Hof, ̈e   *farm*
übergeben   *to transfer*
standesamtlich   *civil*
kirchlich   *church*
die Trauung, -en   *marriage ceremony*
das Hochzeitsfoto, -s   *wedding photo*
Das mußte man schon von klein an gewöhnt sein, sonst hätte man das nicht ausgehalten.   *If one had not got used to that from an early age, one could not have stood it.*
aushalten   *to stand*
die Erntezeit   *harvest time*
der Einberufungsbefehl, -e   *call-up orders*
der Befehl, -e   *order*
die Gemeinde, -n   *community, village*
einzig-   *only*
der Nationalsozialist, -en   *National Socialist*
daheim   *at home*
die Schwiegermutter, ̈   *mother-in-law*

Jetzt wo dein Mann nicht mehr hier ist, mußt du bei mir in der Kammer schlafen. *Now that your husband is no longer here, you must sleep in my room.*

die Kammer, -n *small room, bedroom*

Mir war es gleich. *It was all the same to me.*

gleich *the same*

Um zwei Uhr morgens mußte ich aufstehen, um ... mit der Sense Gras zum Heuen zu mähen. *At two in the morning I had to get up to ... cut the grass with the scythe for hay-making.*

die Sense, -n *scythe*

das Gras *grass*

heuen *to make hay*

mähen *to mow*

Um sechs Uhr war die Stallarbeit dran. *At six it was time to work in the stables.*

die Stallarbeit *stable work*

dran sein *to be the turn for*

Futter einbringen *to bring in fodder*

das Vieh *cattle*

herrichten *to get ready*

hinaus *out*

Seite 128

im deutschsprachigen Raum *in German-speaking countries*

deutschsprachig *German-speaking*

Sie war früher ein häufiges Frühstück für arme Bauernfamilien in Bayern. *It used to be a frequent breakfast for farming families in Bavaria.*

häufig *frequent*

die Bibel, -n *Bible*

Die Töchter baten die Mutter oft, ihre Lebenserinnerungen aufzuschreiben. *The daughters often asked their mother to write down her recollections.*

aufschreiben *to write down*

die Lebensgeschichte, -n *story of one's life*

Dabei saß ihre Katze auf ihrem Schoß. *While she was doing so, her cat sat on her lap.*

der Schoß *lap*

Wieso wurde aus dem privaten Manuskript ein Buch? *How did this private manuscript become a book?*

wieso? *how?*

privat *private*

das Manuskript, -e *manuscript*

durch Zufall *by chance*

der Zufall, ⁻e *chance*

der Lebensbericht, -e *biography*

der Verleger, - *publisher*

Anna Wimschneider hatte in ihrem Leben große Armut erlebt. *Anna Wimschneider had known great poverty in her lifetime.*

die Armut *poverty*

erleben *to experience*

die Bauersfrau, -en *farmer's wife*

Für sich selbst gab sie nicht gerne Geld aus, aber Schenken machte ihr Freude. *She did not like spending money on herself, but she took a lot of pleasure in giving.*

die Freude, -n *pleasure*

Seite 129

Nanu! *Well, well!*

Fangen Bücher jetzt auch schon an zu rufen? *Are books now starting to call out?*

wozu? *what for?*

Sei froh, daß ich dich in Ruhe lasse. *Be glad that I am leaving you in peace.*

froh *glad*

Red keinen Unsinn! *Don't talk nonsense!*

der Unsinn *nonsense*

Es sieht gut aus und macht einen guten Eindruck. *It looks good and makes a good impression.*

der Eindruck *impression*

Wir fangen an zu rütteln. *We'll start to shake*

rütteln *to shake*

rucken *to jerk*

zucken *to twitch*

… bis wir aus dem Regal kippen und auf den Boden fallen. *… till we fall off the shelf and onto the floor.*

das Regal, -e *shelf*

kippen *to tip*

Mein Gott, was seid ihr lästig. *Goodness, you are getting tiresome.*

lästig *tiresome*

Eigene Einträge

Eigene Einträge

Geschichten zum Lesen und Lernen

Anruf für einen Toten

Kriminalgeschichten
88 Seiten, mit Zeichnungen, gh.
ISBN 3–19–001343–8

Schläft wohl gern länger

Jugendgeschichten
64 Seiten, mit Zeichnungen, gh.
ISBN 3–19–001395–0

Täglich dasselbe Theater

Heitere Geschichten für Jung und Alt
68 Seiten, mit Zeichnungen, gh.
ISBN 3–19–001426–4

Start mit Schwierigkeiten

Reiseerzählungen
60 Seiten, mit Zeichnungen, gh.
ISBN 3–19–001379–9

Einer wie ich

Geschichten aus der Welt des Sports
72 Seiten, mit Fotos und Zeichnungen, gh.
ISBN 3–19–001397–7

Max Hueber Verlag